小説

# 弱虫《よわむし》ペダル 2

原作
渡辺航

ノベライズ
輔老心

岩崎書店

弱虫ペダル② 目次

# 登場人物《とうじょうじんぶつ》

## 小野田坂道《おのださかみち》

ママチャリで往復《おうふく》九十キロの秋葉原への道のりを毎週欠かさず通う高校一年生。友だちとつながることができた自転車、その自転車に自分の可能性《かのうせい》があるなら、と自転車競技部《きょうぎぶ》に入部する。

## 今泉俊輔《いまいずみしゅんすけ》

自転車競技に命をかける、毎日ストイックに走り続ける高校一年生。中学時代は県内でも有名なレーサーだった。坂道の走りに関心を持っている。

## 鳴子章吉《なるこしょうきち》

自転車と友だちを大事にする関西出身のレーサー。浪速《なにわ》のスピードマンの異名を持つ。坂道のよきアドバイザーでもある。

## 寒咲《かんざき》 幹《みき》

ロードレースに夢中《むちゅう》の高校一年生。実家が自転車ショップで、自転車のことにもくわしい。

## 主将《しゅしょう》・金城《きんじょう》

自転車競技部の主将・高校三年生。

## 田所《たどころ》

自転車競技部・高校三年生。

## 巻島《まきしま》

自転車競技部・高校三年生。

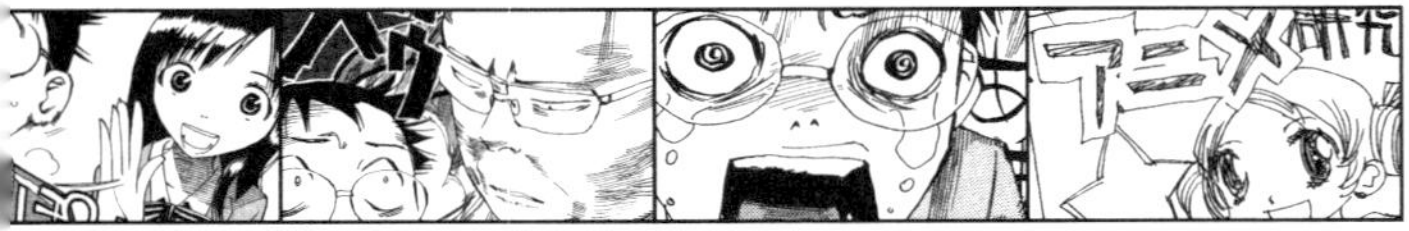


## 前回までのあらすじ

アニメと秋葉原《あきはばら》が大好きな小野田坂道《おのださかみち》は、高校入学と同時にアニメ研究会に入ろうと考えていた。しかし、休部中。

がっかりする坂道は新入部員を集めようとするが、そこに「〝激坂《げきざか》レース〟で勝ったらアニ研に入ってやる」という今泉俊《いまいずみしゅん》輔《すけ》が現れる。

かれはあることから、坂道が〝ママチャリなのに速い〟ことが気になっていた。小学校時代からほぼ毎日、秋葉原まで自転車で通っている坂道の〝脚《あし》〟に、自転車競技《きょうぎ》の才能《さいのう》がねむっていることを見ぬいていたのだ。

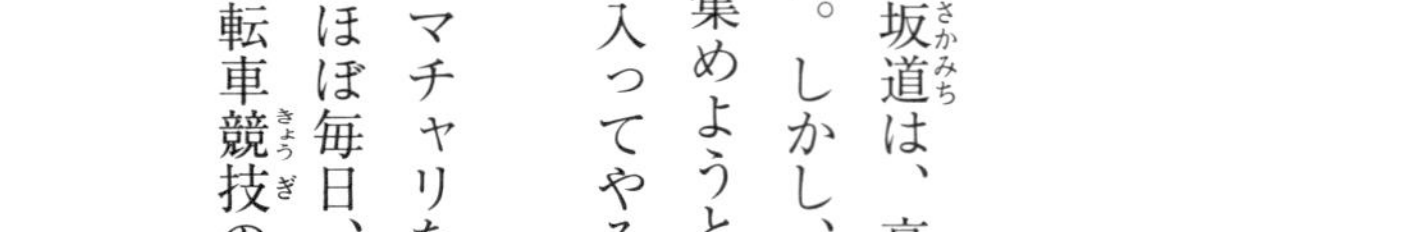

　一方で、坂道は秋葉原で赤い髪《かみ》の鳴子《なるこ》章吉《しょうきち》に会う。鳴子は坂道のママチャリをバカにしたスポーツカー男を見返すために、二人の自転車で協力して、見事自動車に追いつくのだった。
　この鳴子との出会い、そして、なにかと坂道のことを気にかけてくれる、自転車競技が大好きな寒咲幹《かんざきみき》のバックアップや今泉との〝激坂レース〟などを経《へ》て、坂道はついに千葉県最強クラスの総北《そうほく》高校自転車競技部に入ることを決断《けつだん》した。
　そして、入部した、まさにその日に、ウエルカムレースが。

本書は、秋田書店刊の『弱虫ペダル』をもとに小説化したものです。文章化するにあたり、台詞など一部改めています。

# 第一章 ウエルカムレース

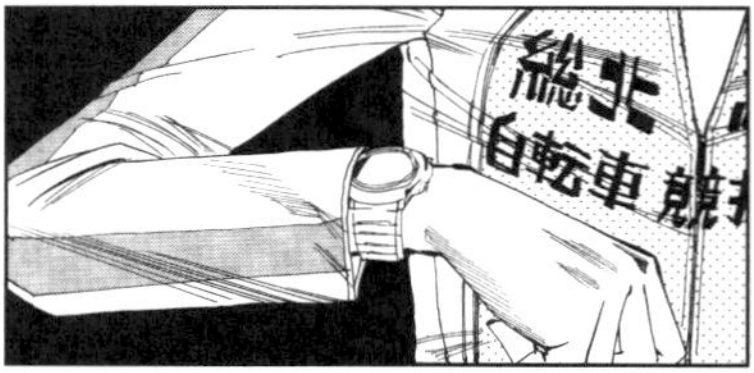


# 1年生ウエルカムレース

「時間だ。レースを始めよう」

主将《しゅしょう》の金城《きんじょう》が時計を見て言った。

「ざんねんだが、予定していた機材がとどかない、水などの補給《ほきゅう》が思ったようにできない、そんな運、不運のめぐりもふくめてレースだ」

そう言いながら、小野田坂道のせなかをぽんと押《お》した。

「おまえはママチャリで走れ、いいな！」

「……!?」

坂道はロードレーサーにまざって、一人だけママチャリでレースに参加することになった。

「集合！」

今春、総北《そうほく》高校自転車競技部《きょうぎぶ》に入部した一年生は六人。

まず、中学時代から有名だった今泉、それに関西でならした鳴子。ほかにも自転車初心者だが中学時代にテニス部で県ベストエイトの川田、野球部でレギュラーだった桜井《さくらい》、自《じ》称経験者《しょうけいけんしゃ》のキザ男こと杉元《すぎもと》。

坂道以外はみんな自転車競技経験者や運動神経《しんけい》ばつぐんの一年生だ。

その中の一人、うわさ好きの杉元が言った。

「このレース、回収車を出すらしいよ」

カイシュウ？

坂道は、「カイシュウ」の意味がわからなかった。杉元が秘密《ひみつ》をバラすかのようなささやき声で続きを話した。

「さっき、先輩《せんぱい》が話しているのを聞いちゃったんだけど、ケツでチンタラ、モタモタしているやつは、ワゴン車で回収されるんだってさ」

ワゴン車で回収される？
それを聞いた坂道は、ごくんとつばをのんだ。
レースの世界はようしゃないんだ、知らなかったよ……。

「ならべ一年!!」
金城《きんじょう》の大きな声がひびいた。

小野田《おのだ》坂道《さかみち》

今泉《いまいずみ》俊輔《しゅんすけ》

鳴子《なるこ》章吉《しょうきち》

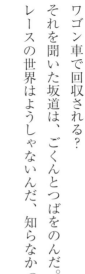

川《かわ》田《だ》拓《たく》也《や》

桜《さくら》井《い》剛《つよし》

杉《すぎ》元《もと》照《てる》文《ふみ》

とまどう坂道をふくめた全員が、
スタートラインにきれいにならばされた。
六人はヘルメットのひもをキリリとしめた。
そして、マシンにまたがって、前方をしっかりと見すえた。

「いいか、コースは頭にたたきこんだか！　一度、自転車にまたがったら、スタート前のリタイアはみとめない。なにがあっても、一メートルでも二メートルでも前に進め」

「あ……あの、すいません。回収車が出るって聞いたんですけど……本当ですか？」

川田が手をあげて聞いた。

すると金城《きんじょう》のサングラスがぎらりと光った。

「本当だ！　おそいヤツは回収する。全行程《ぜんこうてい》六十キロだ。なるべく上位でゴールしろ。このレースの結果で、一年間の練習メニュー、そして出場大会が決まる。全国をねらう一軍チームに入れるか、それ以外かが決まるんだ」

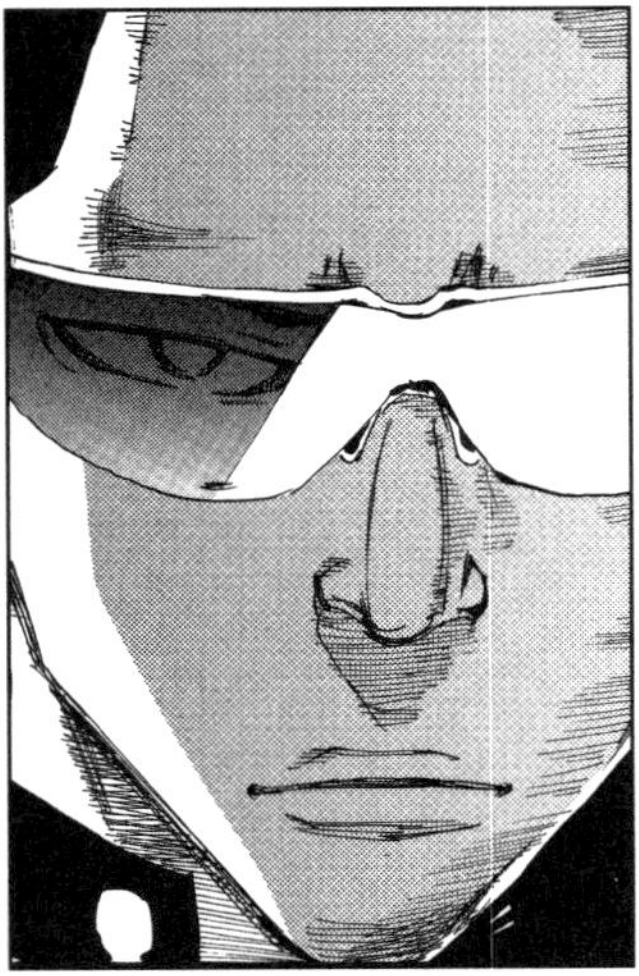

ドクン！
坂道の心臓《しんぞう》が大きく動いた。

これから、六十キロのレースが始まる。

フルマラソンは四十二・一九五キロだから、それよりも長い。大きな街《まち》を三つか四つ、とおりすぎるくらいの距離《きょり》を競走するのだ。

総北《そうほく》高校のウエルカムレースは、スタートしてしばらくは市街地《しがいち》を走る。ここは信号が多く、危険《きけん》なために追いこし禁止《きんし》の区間となっている。

その市街地《しがいち》をぬけると、信号のない十二キロの田園コースになる。平らな道がずっと続くため、スピード勝負だ。

つぎに待っているのが、峰ケ山《みねがやま》の上《のぼ》りだ。この山岳《さんがく》区間はスタミナと気力がためされる。足がどんどんつかれていく過酷《かこく》なコースだ。

峰《みね》ヶ山《がやま》の山頂《さんちょう》をすぎると、風上《かざかみ》トンネルをぬけ、今度はダムに向かって一気に坂を下る。ここはおそろしいほどスピードが出る。その恐怖《きょうふ》にうち勝つ者が有利になる。
そして、坂を下りきると亀石《かめいし》ダムを一周する十八キロの周回《しゅうかい》コース。ここはアップダウンがあって、総合《そうごう》力が必要となる。

**レースが始まった！**

主将《しゅしょう》の金城《きんじょう》のうでが大きくふり下ろされた。
「総北《そうほく》高校一年生ウエルカムレース！
――スタートだ!!」

スタートだ!!
ドン

みんないっせいにペダルをふむ。坂道も、ペダルをふみこんだ。
ジャ、ジャ、ジャ、ジャ、ジャ、ジャ、ジャ
十二個の車輪《しゃりん》がきれいに回転し、はでな音をかなでて六台のマシンがいっせいに走り出した。

すぐに、鳴子と今泉が飛び出した！

「カッカッカ、始まったでーーー!!　始まったなレース！　ウキウキや、勝負やで今泉!!」

鳴子が、しきりに今泉に話しかける。

「しゃべる体力があるんなら、残しとけ」

今泉がそっけなくながす。

「あ？　なに？　声が小さくて聞こえへんで！」

「声がでかいヤツほど耳が遠い」

「じゃあーかーしいっ!!」と、鳴子が大声でどなりかえした。

しゃべりながら走っている二人だが、いきなり時速六十キロだ。

「あの二人、速い！」

自動車なみのスピードだ。みんな、ついていくのに必死だ。

杉元が坂道に話しかけてきた。

「しかし、入部していきなりレースっていうのは緊張《きんちょう》するよね」

「ほえ……え⁉　あ、な、な、なに？」

坂道はガッチガチになっていて、返事をするのもやっとだ。

「おわー、モロに緊張してるね」と杉元が言うので、

「いや、あのー。さっきのサングラスの部長さん、すごい迫力《はくりょく》だなあと思って……」

どこからどう見ても坂道はコチンコチンだ。

「そういうときは深呼吸《しんこきゅう》だよ、深呼吸」

「えっ？」

「自転車に乗ったまま深呼吸するときは、片手《かたて》ずつ手をあげてやるといいんだよ」

坂道が杉元といっしょに片手をあげて深呼吸していると、うしろから自転車が一台、近づいてきた。川田だ。

「悪い、先に行くぜ！　オレは回収されたくないからな」

と二人を追いぬいていく。

「ええっ！　川田くん！　ここは信号が多いから、まとまって走れって、部長さん言ってたよ？　今泉くんを追いこすのも禁止《きんし》だって……」

坂道はつぶやいた。

「バカ正直だな。これはレースだぞ、試合だ。もう始まってんだ。中学の時にテニスでべストエイトまでいったオレは、試合中の判断《はんだん》は全部一人でやってきた。オレはそれで勝ってきたんだから、そのやり方でいく」

川田は全然、気にしない。

街中《まちなか》は歩行者がいるし、自動車もたくさん走っているから、今泉を先頭に、まとまって一定ペースで走れと、主将《しゅしょう》の金城《きんじょう》が言ったのだ。だから当然、追いこしも禁止なのだ。

「あ！　川田くんが今泉くんの前に⁉」

川田は一人、ペースをあげて、先頭の今泉をぬいていった。

「おい、なにやってるんだ。主将はオレをぬくなと言ったぞ」

今泉は川田のせなかに向かって言った。

「おまえが集団を引っぱっていい気になって、のんびり走っているからだよ。おそいんだよ。悪いけど、オレは目標がちがうんだ。オレはもっと速度を出せる‼」

川田はほおを赤くして言った。

「先に行かせてもらう!!」

ふり向きもせずに飛ばし始めた。

「ああ川田くん、行っちゃった……いいのかな……」

坂道が心配する。

「ボ、ボクはルールをやぶるのはいけないと思うな」

杉元も優等生《ゆうとうせい》発言をした。

川田はみんなの声が聞こえているのかいないのか、あっという間に先のほうへ行ってしまった。

すると、残った元野球部レギュラーの桜井《さくらい》がしびれをきらして、大きな声を出した。
「おい、今泉、もっとペースを上げてくれ!!」

「いいんだよ、市街地《しがいち》はこれくらいの速さで。いま急いだって、あとでバテるだけだし」

レース経験者《けいけんしゃ》の今泉が、落ち着いて言った。

「たのむ！　もっとスピード、上げてくれよ。川田はスタート前に言ってたんだ。自転車競技部《きょうぎぶ》に入ったからにはレギュラーでやりたいって。だから、あの走りをしてるんだ…」

桜井がたのんでも、今泉は相手にしない。

「おい、今泉、聞いてるのかよ！　川田は本気だ。だから、こっちもペースを上げてあいつを追いかけようよ。オレとあいつを対等にしてくれ。このままだとあいつだけが得をする。オレだってこのレースでいいところを見せて、レギュラーをとりたいんだ！」

桜井があせって、さわぐ。

「レギュラー……」

レギュラーということばを聞いたとたん、坂道と杉元もちょっとあせった。

「ボクも、もう二、三キロはペースを上げてもいいよ。なんたって、ボクは経験者だし」

杉元も桜井《さくらい》に賛成《さんせい》したが、「ダメだ」と今泉はうけつけない。

「なんでなんだよ、さっきからずっと同じペースじゃないか！　少しぐらいいいだろ！

このままじゃ、川田にどんどんはなされちゃうよ！」

桜井がうったえるように言っても、今泉の答えは「ダメ」の一点張《いってんば》りだ。

「わかった……そうか……おまえ、言ってたな、小野田と友だちだって。小野田がママチャリだから、それを気づかって、わざとおそく走っているんだろう？」

桜井が言いはなった。

えっ……ボクのせい？
坂道がちょっとこまっていると、今泉の、
大きくはないが冷静《れいせい》で力強い声が聞こえてきた。
「レースは遊びじゃない！」

すごい迫力《はくりょく》だ。桜井は思わず、びくっとふるえた。

「ふん、そんなつまらない理由でペースを保ってるわけじゃない。オレはおまえたちのペースにあわせて、ギリギリまで速度を落として走っているんだ。なぜなら、今走っているこの市街地《しがいち》セクションは、足とスタミナをためて準備《じゅんび》する区間だからだ。ペースを上げるか？　今、おまえの足はどうだ？」

今泉が桜井に聞くと、

「だ、だいじょうぶだ。もう四、五キロ上げよう」

桜井のふくらはぎはピクピクしていた。

「ボクも、ボクも、あと五、六キロなら、だいじょうぶ」と杉元。

「あ……あの、ボクもだいじょうぶ」と坂道も答えた。

坂道はまだアウターギアを使っていない。

今泉はふり返りもせずに、冷たく答えた。

「そうか。だったら、今のうちにエネルギーをためておけ。
市街地《しがいち》区間をぬけて、信号のない田園区間に入ったら、本格的《ほんかくてき》なレースが始まる」

## 第一ステージ突入《とつにゅう》！

今泉が告げた。

「田園区間に入ったら、オレと鳴子は、もう二十キロ、速度を上げる」

ゴクリ
全員がつばをのみこんだ。

桜井《さくらい》は、追いこし禁止区間で飛び出した川田のやり方が正しかったんじゃないかと、あのとき、飛び出さなかったことをくやんでいる。

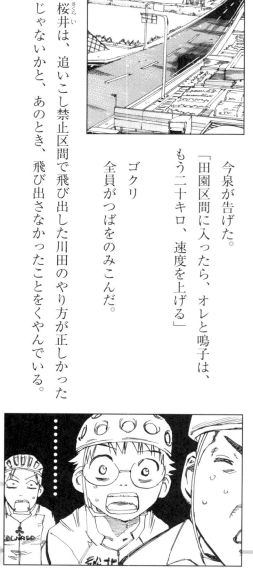

杉元も、プラス二十キロの速度になると……それは、さすがにレース経験者《けいけんしゃ》のボクでもきびしいなあと、おどろいている。

桜井、杉元、坂道の三人は、ここで二十キロもスピードを上げられたらついていけない。そうしたら、手も足も出ないまま、うしろからくる回収車につかまってしまうと思った。

と、そのとき、うしろから車が近づいてきた！

ブーブッブ――――

「やってきたあ！　回収車だあ」

三人が覚悟《かくご》をきめてふりかえると、それはふつうの車だった。

ブオ――――

車は三人のわきを走りぬけていった。

鳴子が声をかけてきた。

「おいおい、追いこし禁止《きんし》区間で回収車が来るわけないやろ。なに、びびっとんねん！」

坂道がうろたえていると、鳴子がこう続けた。

「初めてのレースできんちょうしている小野田くんに、ええことを教えたるわ」

「なんですか？」

「始まる前からあきらめるな。キツイと思うたら、たえろ。たえて、たえて、たえろ。ウンコや鼻血《はなぢ》が出るまで、たえろ」
「え？」
鳴子の目は大まじめだ。さらに眼光《がんこう》をするどくして、坂道に向かって言った。
「そしたら、必ずくるねん。勝負《しょうぶ》のときが。六十キロもあるバラエティにとんだコースや。上り坂、平《へい》たんな道、スプリント、ロングライド……、コースのどこかに、おまえの得意分野があるはずや。どんなにつらくても必死でたえて、そいつをつかめ。そしたら、必ず追いつくチャンスはくる」

そう言って、鳴子は坂道をはげました。


坂道の生まれて初めてのレースは、こうしてスタートした。

坂道はいったい、何位に入れるだろうか？

いや、もしかしたら完走《かんそう》すらできないのかもしれない……。


そのころ、学校では先輩《せんぱい》たちが車に乗りこもうとしていた。

「どう見る？　きょうのレース、勝つのはやっぱり今泉か？」

「いやあ、鳴子もあなどれないっショ」

期待の新人二人。

どちらが勝つか、先輩たちも予測《よそく》がつかない。

「さっさと乗れ。急ぐぞ。早く追いつかなければ、ヤツらのレースは見られないんだ」

主将《しゅしょう》の金城《きんじょう》が言った。

「時間的にはそろそろ、第一ステージの田園区間に入るころだ。あの区間は車もまばらで信号もないし、アップダウンもさほどないから、かなりの高速勝負になるはずだ」


今はまだだれにもわからない。

だれが勝つのか……。

## 二人といっしょに走りたい！

五人の集団はようやく街中《まちなか》のコースをぬけるところだった。

少しずつ車と信号が減《へ》ってきた。

ここからがいよいよ本格的《ほんかくてき》なレースだ。

坂道の心臓《しんぞう》がドクンと高鳴《たかな》った。

そして、さっき鳴子の言ったことを思い出していた。

鳴子くんが言ってたボクの得意分野。
それがどこにあるのか、ボクにはまだわかんないけど、でも、やるしかない。
坂道は今まで、自分にどんな可能性《かのうせい》があるかなんて、考えたこともなかった。
でも、がんばろう、という気持ちは強かった。

「見えてきた！　あの橋だ！　あの橋をこえると田園区間に入る！」
だれかが言った。

始まる……のか……、本格的《ほんかくてき》なレースが……。
坂道は自分の心臓がドクンドクン鳴っているのが聞こえた気がした。

ゴアッ

市街地《しがいち》から、開けた田園地帯に出たとたんに、風切《かざき》り音《おん》が変わった。

「※追《お》い禁《きん》、解除《かいじょ》だ！」

橋をこえた瞬間《しゅんかん》、今泉がさけびながら大きく飛び出した！

ギアチェンジをして加速開始。

力強い走りで、今泉のあざやかな青のマシンがみんなをどんどん引きはなしていく。

それを見て、赤いマシンの鳴子がさけんだ。

「勝負やで、今泉！」

※追い禁…「追いこし禁止《きんし》」のこと。

そして、すぐさま今泉の青のマシンに追いつき、横にならんだ。

「かかってこい！　鳴子！」

青と赤の二台のマシンが、明らかにほかとはちがう次元の加速で、いきおいよく飛び出した。


があしぃっ！

鳴子は力強くハンドルをにぎりこむと、おたけびをあげた。
「ふおおおおおおおおおお」
ロケット加速で、みんなをどんどん引きはなしていく。

〝ナニワのスピードマン〟のあだ名はダテじゃない。

「おお、ナニワのスピードマン、速い、速すぎだよ」

「鳴子くん！」

「あ、あんなに速かったのか!!」

みんな、遠ざかるせなかを見ながら圧倒《あっとう》されている。


しかし、今泉も負けてはいない。

スムーズに変速したと思ったら、立ちこぎでぐんぐん加速していく。

あっという間に二台がならんだ。

「うあぁ、あんなスムーズな変速、見たことない！」

杉元が目をまるくしておどろいている。

今泉が鳴子にならぶ。後続《こうぞく》はどんどんと引きはなされていく。

「カッカッカ。来たな。そうこなくっちゃ。おもろないわ!!」

鳴子がいどむように、今泉に話しかけた。

「おもろくなりすぎて、あとでバテるなよ」

「カッカッカ、心配するなら、おまえは自分の脚《あし》を心配しとけ」

「いや、おまえのほうが心配だ」

二人は猛《もう》スピードの中で会話をしている。

その二人を追いかけながら、坂道はつぶやいた。

「今泉くん、鳴子くん……すごい！　二人はやっぱりすごい。やっといっしょに走れる……ボクもいく!!」

坂道はうれしくなって、ペダルに力が入った。

変速!!

カチッ
ヂャン

坂道の加速が始まった。

「小野田も飛び出すの?」

「しかも、アウターで加速!」

桜井《さくらい》と杉元がおどろいている。


ぐるぐるぐるぐる……

ペダルが回転する音が聞こえてくる。


待ってて!!

今泉くん!!

鳴子くん!!

やっぱり自転車ってワクワクする!

坂道はただただ、二人に追いつきた

い、二人といっしょに走りたい、その一心でペダルをこいでいた。

ところが！

坂道はすぐに、桜井と杉元にぬかれてしまったのだ。

「な、な、な、なんで⁉」

「悪いな、お先に行くね！」と桜井。

「え……ちょっと待って、どういうこと？」

ジャカジャカジャカジャカと回転数を上げて、二人に追いついた坂道が聞いた。

はぁ、はぁ、はぁ、はぁ
息切れする坂道に、杉元が説明を始めた。

「小野田くん、無理しないでよ。キミはあんまり自転車にくわしくないようだから教えとくと、これはギアの差なんだよ。ボクたちと差が出るのは当たり前なんだ」

「ギア？　ボクのはママチャリだけど、変速《へんそく》できるよ！」

「キミのマシンは、フロント二枚の二段《だん》ギアだろ。でも、ボクらのマシンはフロント二枚リア十枚の二十段ギアなんだ」

「二十段も……!?」

「その中から、いちばん適切《てきせつ》なギアを選んで走っているんだ。そして、スピードがのってきたら、一段ずつ上げていく。だからスムーズな加速ができるんだよ」

坂道は自分のギアをながめた。

「でも、これは寒咲《かんざき》さんがつけてくれたギアだ……鳴子くんだって、オモロイもんついとるって言ってくれた……」

「納得《なっとく》できないみたいだね。じゃあ、あそこの自販機《じはんき》まで加速バトルをしてみるか？」

「加速バトル……!?」

## 変速《へんそく》×失速《しっそく》

杉元が、コースの先に見える自販機を指さして言った。

「水路のところまでは軽く下って、あとはまっすぐ登る、シンプルなコースだよ」

そこまで競走しようというのだ。

「悪いけど、本気でいくよ」

杉元がちょっともうしわけなさそうな顔をして言った。

「うん、あ、ありがとう」

坂道は覚悟《かくご》を決めて返事をした。

ギアのちがいはどれほどだというのだ……。

「スタート!!」

杉元、桜《さくら》井《い》、そして坂道がいっせいにペダルをふんだ。
下り坂はなんとか引きはなされなかった坂道だが、上り坂になったら、スムーズに加速して坂を登った杉元が、よゆうで勝った。もちろん、桜井も、だ。

なんで……どうして……。
坂道はぼうぜんとした。

「悪いな、小野田。この手のゆるい坂は、インナーギアでもない、アウターギアでもない、中間ギアの細かい配分がいきてくるのさ」と杉元がもうしわけなさそうに言った。
「それと今、キミはいきなり重たいギアを回したり、軽いギアにしたりして走ったよね。それは足へのダメージが大きいと思う。気をつけたほうがいいよ。じゃ、先に行くから」
「せめておまえがロードレーサーに乗ってたら、いい勝負ができたのにな」
最後に桜井が、なぐさめるように言いながら先へ行った。

「待って！　待って！」

うあああああああああ
ぐるぐるぐるぐるぐるぐる

一人置いてきぼりをくわされてしまった坂道は、無我夢中《むがむちゅう》でペダルを回した。

ビキッ！
右の太ももにいたみが走った。
と同時に、カシャンとチェーンがはずれた！

「待って！　チェーンが！」
坂道は、すっころんで道路に投げ出された。
その拍子《ひょうし》にヘルメットもすっ飛んだ。
「待って！　待ってよ！　まだ、今泉くんや鳴子くんと走ってないんだ！」

なみだがポロポロとこぼれた。


さっきまで、体が風を切りながら前に進んでいたのに、なんで今、地べたにすわっているんだ。

まるで、時が止まったようだった。

田園風景のどまん中で、坂道はひとりぼっちだった。

レースはこんなふうに終わってしまうのか。

まるで何事もなかったかのように。

いや、こうはしちゃいられない。

ボクの勝負はまだ、終わっていない。

まだ、今泉くんや鳴子くんと走ってない!!

坂道は、ママチャリを起こして、はずれたチェーンを直そうとした。そのときだ。

パァン～

車のクラクションが聞こえた。

ふりかえると、一台のワゴン車が止まった。

か、回収車……。

車のまどから顔を出した金城《きんじょう》が言った。

「止まれ」

回収されるなんて、いやだ。

まだ、ボクは走れる!

坂道はママチャリをおして走り始めようとした。

飛び乗って、ペダルをこいでみたもののチェーンは空《から》まわり。

うしろからは「止まれ！」という声が追いかけてくる。

ガシャーン

力をなくしたママチャリはよろめきたおれ、
坂道は道路に投げだされた。
カラカラと後輪《こうりん》がコマのように回った。

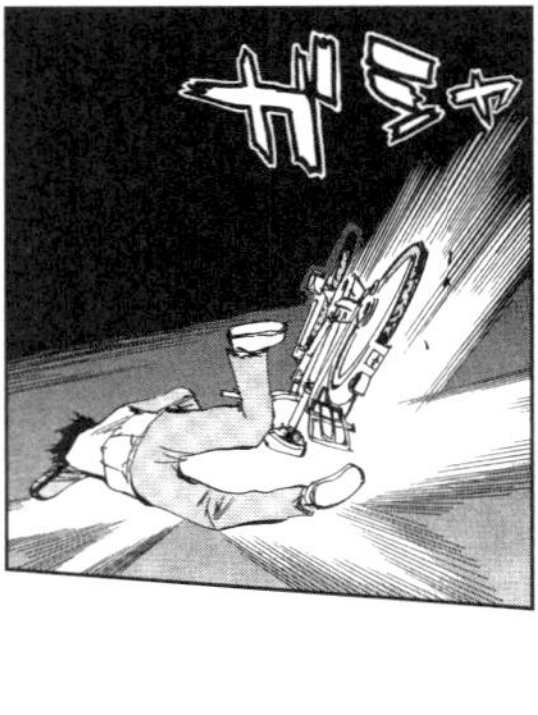


## ロードレーサーとママチャリ

そのころ。

先頭を行く鳴子。少しおくれて今泉。
「カッカッカ、どーした、おくれとるで今泉」

「うるさい」

「キツかったら、ワイのまうしろについて、風よけてもエエで」

「えんりょする、クサそうだ」

「クサないわ！」


今泉はななめうしろから冷静に、鳴子の走りを観察《かんさつ》していた。

シャツのせなかに「関西魂《かんさいだましい》」とでっかく書いてある。
こいつ、マジで平らな道が得意なんだな。
〝ナニワのスピードマン〟のあだ名もダテじゃないな、と今泉は思った。

一方、鳴子は背後《はいご》の今泉の息づかいに耳をすましていた。

しっかし、今泉はしつこいな。
ふつうのヤツやったら、とっくにチギれとるところや。

二人はたがいのようすをうかがいながら走った。

「おい、鳴子」
「なんや、今泉」
「小野田は追いついてこられると思うか？」
「あ？　なんの話やねん、あの小野田くんか。秋葉原でいっぺんいっしょに走ったけど、オモロイ走りをするヤツやったわ。『おーい、鳴子くーん、今泉くーん、ボクもきたよー。あー鳴子くんの方が勝ってるー』なんて言いながら追いついてくるとオモロイなあ、

と思ったけど……無理やろな」

「…………」

今泉は無言だ。

鳴子はそんなことなどかまわずに、しゃべり続ける。

「今、ワイらとあいつらとの間についている差は三分か四分。これから山道に入るとスピードが落ちるから、ばんかいできない差ではない。でもそれは、ロードレーサーなら……や。

ママチャリが悪いわけやない。快適《かいてき》やし、荷物もつめる。二人乗りしてラブラブシチュエーションも可能《かのう》や。それはみとめる。けど、スピードを出すための乗り物やない。マシ

ン重量《じゅうりょう》も、空気抵抗《ていこう》も、フレームも、次元がちがう。ママチャリに乗ってる時点で、あいつは道具を手にしていないのと同じや。テニスならラケット、野球ならグローブとバット、サッカーならスパイクシューズ。道具を持たずに試合に出ているようなもんや」

「……………」

鳴子はよくしゃべる。

**人車一体《じんしゃいったい》**

道路にへたりこんだ坂道のすぐわきに、「KANZAKI CYCLE《カンザキサイクル》」のステッカーがはられたワゴン車がとまった。

「あああ、終わりだ、回収されちゃうんだ」
ドンケツの者を車に積みこんでしまう。それが回収車。
坂道の初レースはあっという間に終わってしまった……のか。

「ん？」

車からおりてきたのは、ミキだった。ミキは後部《こうぶ》ドアをゆっくりとあけた。

小野田《おのだ》くん
キミの
ロードレーサーよ
KANZAKI
KANZAKI·C·S

そこに積まれていたのは、なんと、一台のロードレーサーだった。

「小野田くん、これがキミのロードレーサーよ」

ワゴン車の後部《こうぶ》に積まれた自転車のグリップをにぎりながらミキは坂道に言った。

「えっ？」

坂道がなみだもぬぐわず、ぼう然としていると、車からおりてきた金城《きんじょう》が言った。

「毎年、このレースには寒咲《かんざき》自転車店から回収車兼《けん》サポート車として、こうやって車を出してもらっているんだ」

続けてミキが車からロードレーサーをおろしながら言う。
「金城先輩《きんじょうせんぱい》に、初心者がいるからクロモリ※持ってきてってたのまれて。本当はレース前に間にあうはずだったんだけど、渋滞《じゅうたい》でおくれちゃって」

え……これ、ボクのロードレーサー…⁉

「スピードを追求して究極《きゅうきょく》まで軽くし、スタンドも、どろよけも、かごも、スピードに関係する以外のものすべてを排除《はいじょ》した乗りもの。それが、自転車の頂点《ちょうてん》、ロードレーサーだ。



※クロモリ…クロムモリブデン鋼でフレームが作られた比較的安価な入門車。

ロードレーサーだ
KANZAKI CYCLE
総北高校
自転車競技部
SOHOKU

走れ。おまえのリタイアは、まだみとめない」
金城《きんじょう》の有無《うむ》を言わせない力強い声が、坂道の胸《むね》にひびいた。
……ボクのロードレーサー……。
これが…あれば…つながる。
ボクの希望が……、〝仲間と走る〟という希望が……!!

坂道は思い返していた。
むかしから秋葉原に通うときに感じていた気持ちを……。

　あの日もママチャリをこいで、坂道は一人でアキバへやってきていた。

アキバに近づいて、にぎやかになってくると、ときどき思うことがあった。

ああ、ボクも友だちと来たら、もっとワクワクするんじゃないか。

いっしょにファミレスに行ったりして、手に入れたガッシャポン※を見せあったりして。

だから、決めていた。高校に入ったら、アニ研に入って仲間を作ろうと。

※ガッシャポン…カプセルトイのこと。

でも、アニ研にはだれも集まらなかった。
たくさんのチラシを書いて、部員の募集《ぼしゅう》をしたのに、一人も来なかった。
ボクにはもう、仲間を集める手段《しゅだん》がないと思った。

そんなときに今泉くんがあらわれた。
「自転車で勝負しよう」と言ってくれた。

寒咲《かんざき》さんや鳴子くんが、「今のボクには仲間をつなぐ道具がある」
と教えてくれた。

自転車が、つないでくれると!!

今までの自転車はのんびり走ることはできても、速く走ることはできなかった。
だけど、これなら……このロードレーサーなら、みんなと同じだ。
ロードレーサーなら、走れる!

自転車《じてんしゃ》が
つないでくれると‼
総北高校

これに乗って、こぎだそう！
これがきっと、ボクの希望をつないでくれる!!

坂道はロードレーサーにまたがって、ハンドルをにぎった。
それは体にすいつくようになじんで、まるで自分の体の一部のようだった。
表情《ひょうじょう》が引きしまり、ぐっと前を見すえた坂道はまるで別人のようになった。

もう一度、みんなに追いつくんだ!!
ちぎれるまでペダルを回せ！
たおれても進め！

そんな心の声が坂道には聞こえてきた。
ミキが近づいてきて、ヘルメットを差し出した。

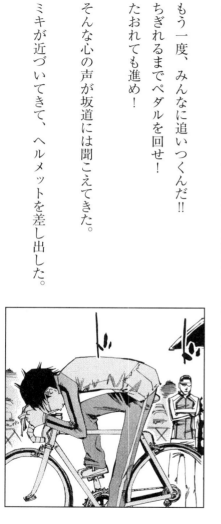

「小野田くん、ヘルメット、それにグローブも用意しておいたよ。急いで。もうすぐ五分になっちゃう」

このレースにはタイムアウトがない代わりに、一か所に五分いるとリタイアしたとみなされる。そんな特別なルールがあることを、坂道はさっき金城《きんじょう》から説明を受けていた。

よし、みんなといっしょに走る!!

坂道はヘルメットとグローブをつけて、ペダルをふんでみた。生まれて初めてのロードレーサー。

坂道の心に火がついた。

「おお、再《さい》スタートした!!」

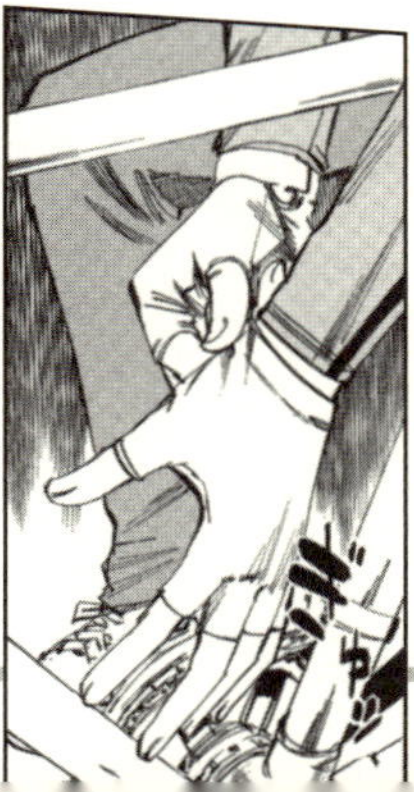

シャッ
一緒《いっしょ》に走《はし》る!!

「五分、ぎりぎりだ！」と車内にいた先輩《せんぱい》たちもどよめく。

「ウソだろ？　あいつ、いきなりロードに乗れてるぜ」

「ふつう、初めて乗ったらハンドルの低さにビビってふらつくもんだぜ」

「こわくて、乗れませんって、泣きが入ると思ったのに……」


坂道のようすに先輩たちもおどろく。

するとミキがふりむき、にっこりわらって言った。

「そういうことも、わすれちゃってるんだと思います」

坂道はただ、先を走る今泉と鳴子といっしょに走りたいと思っただけだ。
早くあの二人に追いつきたい。追いついて仲間であることを確認《かくにん》したい。
ただただ、その一心で、ほかのことはわすれたのだ。
ロードレーサーが乗りにくいとか、五分ぎりぎりだとか、そんなことは今の坂道には関係なかった。

ミキは、そんな坂道にいつもとちがうなにかを感じていた。
「いつもの小野田くんだったら『えー、いいんですか、乗っちゃっていいんですか』とか、『これ、高いんですよね、たおしたら悪いし、やっぱりママチャリでいいです…』ってなるのに」と思った。

ミキは自転車屋の看板娘《かんばんむすめ》だし、小さいときから今泉が走るのをよく見ていたので、ロードレーサーの魅力《みりょく》をよく知っている。
「ロードレーサーは人の力をすべて推進力《すいしんりょく》にかえる、自転車の頂点《ちょうてん》。心と体が一体となったとき初めて、すべてのポテンシャルを発揮《はっき》できる。小野田くん、見せて！　ゆらぎのない心と体の、あなたの走りを!!」

ミキは、どんどん遠ざかっていく坂道のせなかに、心の中で語りかけていた。

# 第二章　ロードレーサー

## あなたは、速いわ！

新しいマシンを手にした坂道は、
生まれて初めての感覚《かんかく》にうちふるえていた。
スゴイ！　ちがう……今までと、なにもかも……。
ギアのちがいとか、そういうレベルじゃない。
今までに感じたことのないくらいに地面をけって、確実《かくじつ》に前に進む。
もう風の音なんて、聞こえない。
スピードがどんどん上がって、まわりの景色《けしき》がちぢんだように小さく見える。

風の中に通り道ができて、坂道はそこへすいこまれていくようだった。
おもしろいように前に進む。
まるで、まっすぐ進めと、なにかがせなかをおしているように。

これなら、いけるかもしれないと坂道は思った。

下り坂にさしかかったときには、百メートルぐらい前を行く桜井《さくらい》が見えた。

さっき杉元にぬかれてあせっていた桜井は、なにかがうしろから近づく気配を感じていた。

もしや回収車か、と思っていた。が、近づいてきたのは……。

ゴオオオオオオオオ…

うおおああ!?

桜井《さくらい》はさけび声をあげた。

「なんだ??」

なんと坂道が、空気のかたまりとともに桜井を一瞬《いっしゅん》でぬき去っていったのだ。

少し先を走る杉元は、桜井の大声が聞こえたときに、まさか桜井が自転車から落ちたのかとふりかえった。そこへ、うしろから頭を低くしてモウレツな速さで近づいてくる坂道が目に入った。

ひゃいいい!?

杉元がおびえた。

「小野……田……!!

なんでロードレーサーに⁉　ってていうか……速っ⁉　けっこう差がついていたはずなのに」

桜井を追いこした坂道は杉元もあっという間に追いこし、ぐんぐん前に進んだ。

つぎは、三位を走っている川田だ。

川田は第二ステージの上り坂にさしかかっていた。

平らな道を走るよりも倍ぐらいマシンが重く感じられ、マシンの速度が落ちている。

一方の坂道はロードレーサーはなんて軽いんだ、とママチャリとのちがいを実感しながら、どんどん登っていく。その差はみるみるうちに小さくなっていく。

坂道は、初めて乗るロードレーサーのすごさをかみしめながらこいでいた。

すごい……!!
これが「走り」専門《せんもん》の自転車！
スピードだけを追求した、自転車の頂点《ちょうてん》、ロードレーサーなのか！

楽しい!!　なんだ、この乗りものは！
こいでるだけで、楽しい！
今までの力で、倍の距離《きょり》を走れる。
坂も、カーブも、思いどおりに自転車が動く!!

カーブにさしかかった。

坂道は車体を内側《うちがわ》にたおしながら進んだ。

するとペダルがガチンガチンと路面《ろめん》にぶつかって、火花をちらした。

回収車の中で、そのようすを見ている先輩《せんぱい》たちから声が上がった。

「おいおい、かたむけすぎているんじゃないか！」

「初心者だからしょうがないけど、あぶない乗り方だ！」


ミキは坂道の走りを見て、思わずこぶしをギュッとにぎっていた。


体が自然とそう動くのね。

気持ちが自転車につたわっている証拠《しょうこ》よ。

オートバイとくらべるなら、自転車にとってのエンジンは、体。

ロードレーサーはそのエンジンの力を百パーセント、ロスなく路面《ろめん》につたえるわ。

そしてハートが、気持ちが、エンジンの力を五十パーセントにも百パーセントにも、ときには二百パーセントにだってする。


人車一体《じんしゃいったい》の走り。

小野田くん、あなたの意志は強い。

あなたは、速いわ!!

## 追いつかない

第二ステージの峰《みね》ケ《が》山《やま》ヒルクライムにさしかかったとき、坂道は三番手を走っていた川田のすがたをとらえ、追いぬいた。

回収車の中では先輩《せんぱい》たちが色めき立った。

「うおっ、川田をぬいたぞ」

「最後尾《さいこうび》からついに三人目をとらえたぞ！」

そこへ、田所先輩が状況《じょうきょう》を観察《かんさつ》しながら感想をもらした。

「あいつ、ペースが落ちないなあ。本気で今泉と鳴子に追いつくつもりか？」

それを受けてミキが言う。

「そのつもりでしょうね。そのためにロードレーサーに乗ったんでしょうから。今、小野田くんを走らせているのは、今泉くんと鳴子くんと三人で走っているイメージ。それを実現させることが、かれの最大のモチベーションなんです！」

「その考えはあまいねェ、おじょうちゃん」

さえぎったのは、巻島先輩《まきしませんぱい》だった。

「夢《ゆめ》？　それ、ドリームっショ？　自転車レースはそんなにあまいモンじゃない。田所っちだって、あいつが今泉たちに絶対《ぜったい》追いつかないってこと、ワカってるんショ～？」

巻島の冷たい言い方に、ミキはゴクリとつばを飲みこんだ。

「そりゃあ、ドンケツからパァーッとぬいていってドアタマまで追いつきゃ、カッコイイ。シビレる。でも、ここまでに田園区間で三分、さっきの自転車乗りかえで五分。すでに八分の差がついている！」

その冷静《れいせい》な判断《はんだん》に、車の中はシーンと静まりかえった。

巻島は話を続けた。

「八分差で発車した電車が前の電車に追いつかないのと同じこと。追われるほうも走っている。差をつめるのはカンタンなことじゃないショ。それでも、もし本気で追いつこうとするならば……」

「追いつこうとするならば？」

ミキが聞きかえした。

「いま九十回転くらいでいっぱいいっぱいに回しているケイデンス（一分間のペダルの回転数）を、もう十回転上げなきゃ無理っショ」

巻島先輩の見立てだと、坂道は一分間に九十回ペダルを回している。それを百回にしろと言うのだ。

もっと早く、くるくる回さないと、追いつかないと言うのだ。

ミキは、うつむいてしまった。

たしかに巻島先輩の言うとおり、八分の差は大きい。

その差をうめるには、ケイデンスを上げるしかない。

でも平地とちがって、今は山岳地帯《さんがくちたい》の上り坂。

登りのケイデンスアップは、スタミナをうばう……！

そのとき、ここまでだまっていた金城《きんじょう》が、とつぜん、運転手の寒咲通司《かんざきとおじ》に言った。

「走っている小野田に車を寄《よ》せてください。ボトルをわたしたいんです」

「わかった」

回収車はスピードを上げ、坂道の真横まできて、併走《へいそう》した。

金城は車のまどを開けると、走っている坂道に、水の入ったボトルを手わたした。

「これから先は、あせもかく。こまめに給水しておけ。このボトルはフレームについたホルダーにさすんだ」

「ハァ、ハァ、ハァ、ありがとうございます、ハァ、ハァ、ハァ、ハァ」

「小野田」

金城が話しかけた。

「はい」

「このままでは、おまえは鳴子や今泉には追いつかない」

「……え、いいえ、そんなことないです、ハァ、ハァ」

「追いつかない」

金城は表情《ひょうじょう》を変えずに言った。

「ハァ、ハァ、ハァ、ハァ」

「差がつきすぎている。あいつらは速い」

「ハァ、ハァ、ハァ、ハァ、だったらもっとスピードを上げれば……」

「そうすると、リタイアする。おまえの体力が持たない。峠《とうげ》をこえる前に体が動かなくなり、回収車を待つことになるだろう」

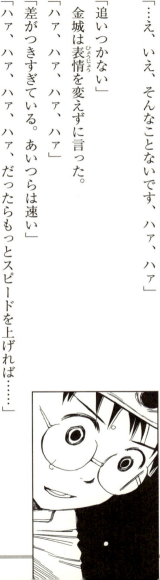

そんな……！
ボクは今泉くんや鳴子くんといっしょに走れないの⁉
坂道は泣きたくなった。

「だが、このままのペースならばゴールまでいける。六十キロのレースを完走できる」

「ハァ、ハァ、ハァ、ハァ」

坂道は一心にこぎながら、金城《きんじょう》の話に耳をかたむけている。

「そうすると、おまえは三位だ。初レース、初ロードレーサー、しかも初心者。なのに三位。これは快挙《かいきょ》だ、悪くない」

「三位！　ボクの人生最高ポイントだ‼」

三位という言葉に、ひそかに心が動きかけた坂道だったが、
ペダルをこぎながら顔をくもらせた。

「……でも……、でも……もう二人と走れないってこと……か……」

それを見た金城は言った。

「どうした？　小野田、おまえが選べ。完走して三位か、今泉たちを追いかけてリタイアか。おまえの道を、おまえが選べ」

「え、え⁉」

選択肢《せんたくし》をつきつけられてとまどっていたが、やがて坂道は金城の方を向いて、顔をパーッとかがやかせながら宣言《せんげん》した。

「ボクは、追いつきます！」

「よし！　だったら、もう三十回転ケイデンスを上げろ‼」

そう言うやいなや、金城《きんじょう》は気合いを入れるように坂道のせなかをドンッとたたいた。
「えええ？」
車内にいる田所、巻島《まきしま》、ミキはどよめいた。
十回転上げるのも苦しいのに、三十回転上げろと金城が言ったからだ。

今泉くんたちといっしょに走るための方法が、それしかないのなら、ボクは信じてペダルを回すんだ……!!

坂道は心からそう思った。

「はいッ！　ケイデンス三十、上げます!!」

そして、先をぐっと見て、ペダルを回した。

ゴオオオオオオオオオオ
ぐるぐるぐるぐるぐるぐる

回転数《ケイデンス》30上《あ》げます!!
ジャ
ア
ァ
ァ

坂道は、これまで以上にこぎ始めた。

「あいつ、ケイデンスを上げたぞ！」と田所。

「自殺行為《じさつこうい》ショ！　マジかよ、もつのかよ。かしこい選択《せんたく》じゃない！」と巻島《まきしま》。

ミキはただただ心配そうに、坂道のせなかを見つめた。

はッ、はッ、はッ、はッ、はッ

はッ、はッ、はッ、はッ、はッ

車のエンジン音ごしにも、坂道のあらい息づかいが聞こえてきた。

ハンドルをにぎる通司《とおじ》が、金城《きんじょう》に聞いた。

「どうする？　最後尾《さいこうび》にもどる？　それとも……」

金城は前を見ながら言った。

「このまま、あいつを追ってください」

「オレも興味《きょうみ》出てきた。見てみようじゃないの……」

と通司。

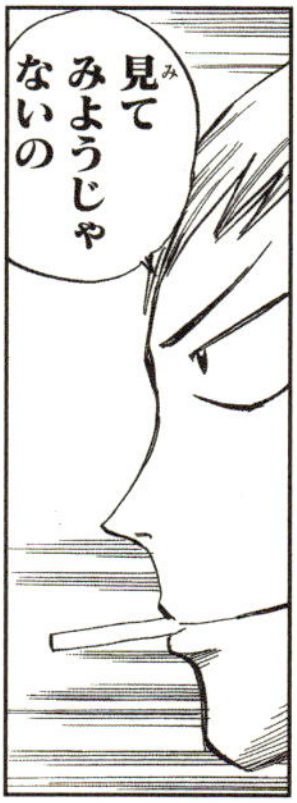


車は、坂道を追い続けた。
最後尾からトップをねらうなんて、ふつうならぜったいに無理だとあきらめる。
もし、それができれば、ウエルカムレース史上に残る大逆転《だいぎゃくてん》だ……。

はッ、はッ、はッ、はッ

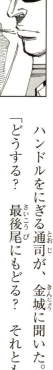

がんばれ、ボクの脚《あし》!!
今泉くん、鳴子くん、追いつくから待ってて!

ケイデンスを三十回転上げた坂道が、その高回転数を維持《いじ》しながら坂を登り、二人との差を少しずつちぢめ始めた。

そのようすを車内から見ているミキは、ざわめく先《せん》輩《ぱい》たちをよそに、一人いつくしむような笑《え》みを浮かべていた。

マジメなんだね、小野田くん。
金城さんから三十回転上げろって言われて、ホントに上げて走っちゃう。

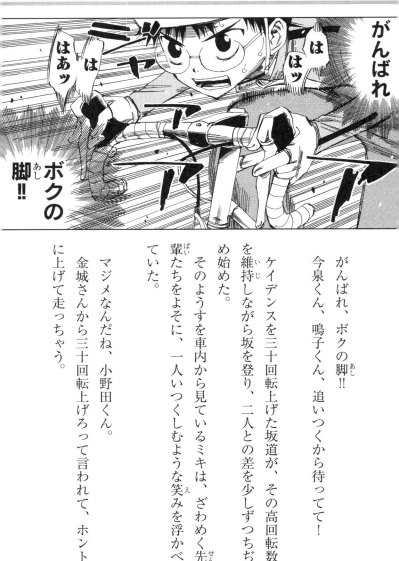

おかしくなっちゃうくらい大マジメだよ。

でも……、ふつうはできないものなんだよ……。

あなたの想いも、意志の力も、それにこたえる脚《あし》も……

本当に……すごいこと……なんだよ。

## さぐり合い

一方、レースの先頭。

鳴子が先頭、ほぼ横ならびで今泉が走り、現在《げんざい》のところ、この二人がレースの一位と二位だ。

二人は毒舌《どくぜつ》をはきあいながら、上り坂のペダルをこいでいた。

「おい、赤アタマ」

今泉がうしろから、鳴子に声をかけた。

「山に入ってペースが落ちてるぞ。それは安全運転か?」

「はぁ? なんやて?」

「それとも、山が苦手か?」

「カッカッカ、アホか。おまえの目はフシアナやな。おまえのためにゆっくり走ってあげとるんや。ここで置いてったら、おまえ、ヘコむやろ思うてな」

「気をつかうな。スピードを上げろ」

「おまえも、えんりょはいらんで!」

この二人、さっきから腹《はら》のさぐり合いになっていた。

あくまでもスローペースだ。

鳴子が速度を上げると、今泉も上げる。速度を落とすと、いっしょに落とす。

今泉は、鳴子のややうしろにべったりとくっついて、彼《かれ》の心にさぐりを入れているのだ。

自分の体力を使わずに、相手の実力を知るための作戦。

これぞ自転車レース名物の「かけひき」、そのまっ最中《さいちゅう》であった。

チッ、今泉め、性格《せいかく》が悪いなあ。
さっきからずっとこうだ。
たしかにきょう、会ったばっかりでおたがいの実力のほどがわからん。
ワイが山道を少し苦手なことも、まだバレてないハズ……、と鳴子。

鳴子め、おまえはどれだけふめるんだ？
スプリンターだと言っていたが、山岳《さんがく》にも強い選手はたくさんいる。
鳴子はオレより体重が十キロは軽いだろう。それはヤツの長所にもなる、と今泉。

そんな二人の進む先に、チューリップ型のぼうしをかぶったおじさんがいた。

ずんぐりむっくりした、外国人だ。

両手でパチパチと拍手《はくしゅ》をしている。

峰ケ山《みねがやま》に来たのんきな外国人観光客が、手をふりながら、二人に声援《せいえん》を送っているのかと思ったら、急に大声をかけてきた。


「ソコのフタリ！」

両手を広げて二人のマシンをとめた。

今泉と鳴子は顔を見あわせて、ペダルをこぐのをやめた。

「あんた、だれ?」

それには答えず、おじさんはほがらかな声で言った。

「アカイかみのキミは、モモのウラのキンニクをモット使ッテ。せの大きいキミは、ときどき上半身がブレて、ちからがニゲてるよ。ペダルにシュウチュウして」

今泉と鳴子がキョトンとしていると、おじさんの目がのんきなチューリップ型のぼうしにはにつかわしくないほど、するどい目に変わった。

話は続いた。
「サッキ、キャプテン金城《きんじょう》からデンワがありました。もうヒトリ、このヤマを、モクモクとクライムしてくるボーイがいるヨ。サグリアイもイイですが、キミタチ二人だけでレースをやっているのではナイ。

いいデスカ、ロードレースはとちゅうでナマケテも、ガンバッテもイイ。ただ、一番初めにゴールした者が勝者デス。サア、行きなさい」

日本語がしゃべれる！
そして、自転車にくわしい！
今泉と鳴子はようやくピンときた。

この太めの外国人のおじさんは、総北《そうほく》高校自転車競技部《きょうぎぶ》の監督《かんとく》、ピエールさんだ。

ヨーロッパ出張中《しゅっちょうちゅう》だと聞いていたが、ウエルカムレースにあわせて日本に帰ってきていたのだ。

レースのようすを見ようと、難所《なんしょ》である峰ケ山《みねがやま》の上り坂の途中《とちゅう》で、選手たちを待っていたというわけだ。

かれのことばに、二人の心には火がついた。

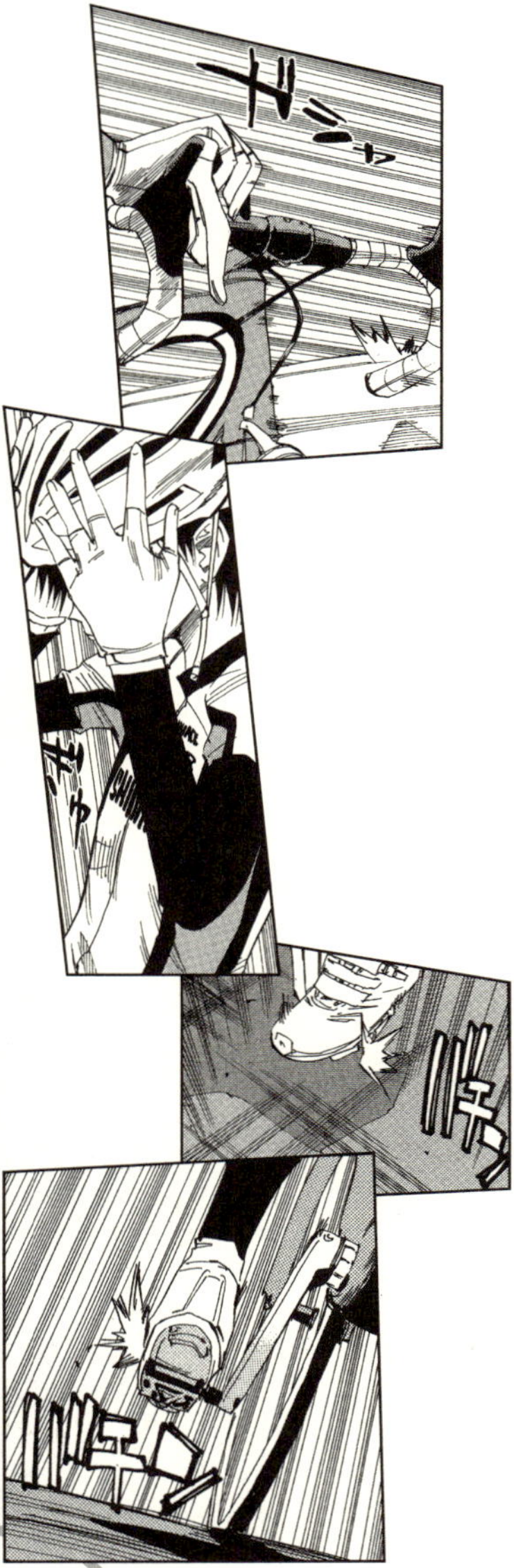

たとえ自転車競技部《きょうぎぶ》内の草レースでも負けることはゆるされない！　と今泉は思った。
絶対《ぜったい》一位を取ったる。一位が一番はでやからじゃ！　と鳴子も負けていない。
二人はふたたびペダルをふみ始めた。
ゴールに一番でたどり着くことを目指して、真剣《しんけん》にこぎ始めた。

# 登ってきた男

登ってきているもう一人とはだれだ?
今泉には思いつかなかった。

初心者の桜井《さくらい》ではない。杉元でもないだろう。
勝手に先行した川田は山岳《さんがく》ステージに入る前にチギった。
あのつかれが回復《かいふく》したとは思えない。
残りはまさか、ママチャリの……あいつ……?

……残《のこ》りは
まさか…

今泉の想像《そうぞう》は、鳴子のわらい声でさえぎられた。
「カッカッカッカ、おもろいなあ。もうハラのさぐりあいは終わりやで、今泉よ。
さあ、本気で行くで、三人目が……

カッカッカ
オモロッ!!
あいつ
オモロイなア!!

小野田くんが来たからな」

「待て、あいつが来るなんて、一番ありえない。道具をもっていない。ママチャリだぞ」

「カッカッカ、なにかわからんが、ミラクルがおきたんや。ロードレーサーに乗っているんやろう。わからんか？　この感じ。ロードレーサーに乗っていると、五感がとぎすまされるんや。嗅覚《きゅうかく》や聴覚《ちょうかく》がするどなる。筋肉《きんにく》のちょっとした動きが読めるようになる。頭で考えるんやない、ハートや。ハート感じるやろ。おまえも小野田くんのプレッシャーを、感じるやろが！」

鳴子が心臓《しんぞう》のあたりをパンパンとたたきながら言った。

「なに!?」

たしかに感じる。
うしろからなにかが来る。
今泉はゾクッとした。

ギュッギュッギュッ
ハア、ハア、ハア……
ギュッギュッギュッ
ハア、ハア、ハア……

……近い、感じる。
なんでだろう、わかる。
ドキドキする。ドキドキする。
やっと来たんだ。やっと……。

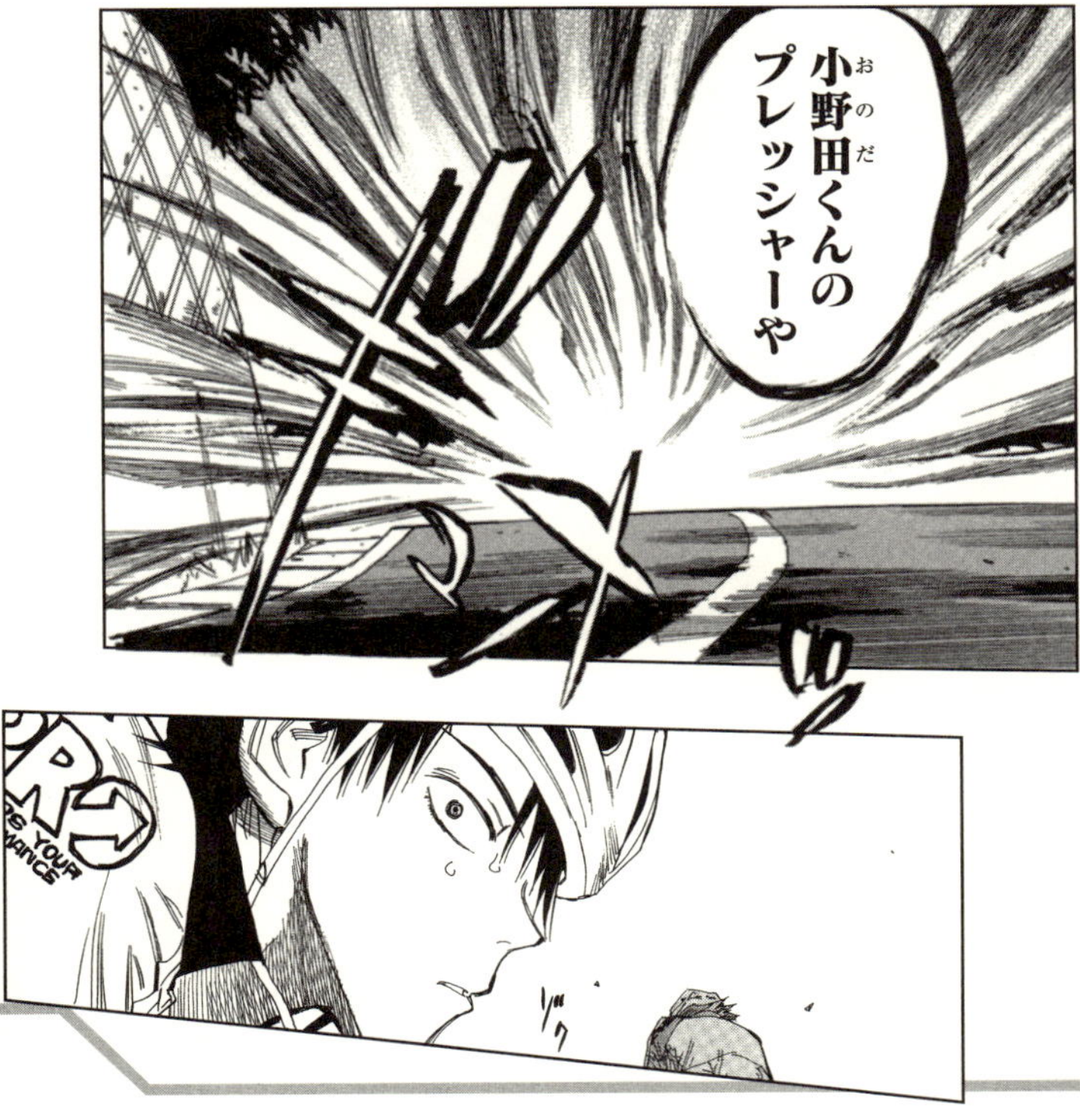

今泉《いまいずみ》くん!!
鳴子《なるこ》くん!!

追《お》いついたよ!!

「今泉くん!!　鳴子くん!!　追いついたよ!!」

坂道の目の前に、まちがいなく、今泉と鳴子がならぶ光景があった。

坂道の大声がとんできて、今泉と鳴子はうしろをふり返った。

幻《まぼろし》ではない。ママチャリではなく、ロードレーサーを必死にこぐ小野田坂道が近づいてくるではないか。

その顔は、あせとなみだと鼻水《はなみず》でぐしょぐしょだ。

「マジでロードに乗っとる、カッカッカ」と鳴子がわらいとばすと、今泉が、
「来たな、小野田！　わらって……ないてやがる！」と答えた。
二人になんとか追いついた坂道は、うれしさをかくしきれない。

「来たよ！　登ってきたよ！　ねえ、いっしょに走ろう!!」

ドギモをぬかれて表情《ひょうじょう》をなくした今泉とは対照的《たいしょうてき》に、「カッカカッカッカ！　オモロイなあ、小野田くん。ほんまに来たんやなあ」と、鳴子は大わらいだ。

「小野田くんがママチャリやないと、なんや変な感じやな。まあ、そんなことはどうでもええわ。よーし、いっしょに走ろう。ワイもパワーがわいてきた。どこまで回せるか見たるわ！　ついてこい、小野田くん!!」

　鳴子はそう言うと、ハンドルをにぎる場所を下に変えて、全力でこぎ始めた。

「うん！　行きます!!」
坂道もすぐさま全速走行に入る。

そのようすをため息をつきながら見ていた今泉がつぶやいた。

「二人ともムダの多い加速だ……。だが、その遊び、ちょっとだけつきあってやる!!」

そして、全速走行に入った。

# スプリントクライム!!

鳴子が飛び出した。その直後を坂道。三番手が今泉の隊列《たいれつ》となった。

鳴子は、コーナーでは最短距離《きょり》を走るためにギリギリまで自転車をコースの内側《うちがわ》によせて走る。もちろん、飛び出している木の枝《えだ》や障害物《しょうがいぶつ》はうまくよけ、スムーズなコーナリングのわざをあざやかに決めていった。

ところが、坂道は木の枝にバサバサとつっこんでしまう。

「アホか、木の枝はよけろや!」

「ごめん、でもだいじょうぶ、どんどん行こう!」

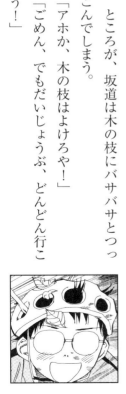

坂道はへっちゃらだ。ヘルメットには木の葉っぱや枝がたくさんついているが気にしない。

路面《ろめん》にはたまにでこぼこがある。坂道はよけられず、ガタンガタンとふみこえている。鳴子はこれももちろん、じょうずによけて走っているが、坂道はそこまで気が回らないのだ。ガクンガクンと体を上下にはげしくゆらしながら通過《つうか》した。

「アホか！　路面のギャップ（でこぼこ）はよけろや！」

「うわわわわわわ〜」

「レースの走り方が全然わかってへんな。そんな走りでよくここまでこれたな。乗り方がメチャクチャやや」

「ご、ご、ごめん」

グローブも指も、あせでベトベト。

上のジャージはドロドロ。ズボンのすそは、ギアにからまったあとがあって、ギザギザにやぶれていた。

鳴子はそんな坂道のボロボロになったすがたを見て、ちょっと胸《むね》が熱くなった。

「そっか……まっすぐ……小野田くんはワイらに向かって、まっすぐ登ってきたんやな」

鳴子がそう言うと、今泉もちょっとおどろいた表情《ひょうじょう》で坂道のほうを見ていた。

少し照れながら、坂道はこくりとうなずいた。

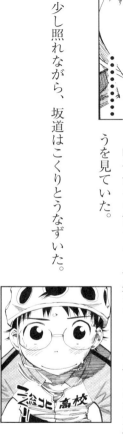

「それやったら、小野田くんの誠意《せいい》には、全力でこたえなアカンな…!!」

「全速力や!!!」

そうさけぶやいなや、鳴子のマシンが飛び出した!

「おいていかれても泣《な》きなや。こっから先は全速力でいくで!」

鳴子はブンブンとペダルをふみ、どんどん加速していく。坂道と今泉は大きく差をつけられた。

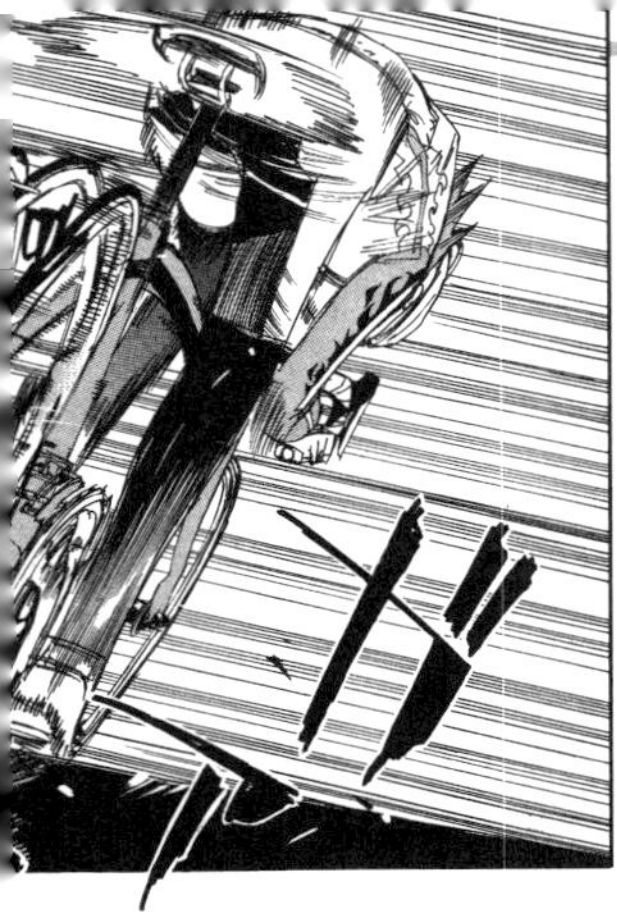

「あいつ、山岳《さんがく》コースでスプリント走行だと⁉」

うしろから鳴子のふみこみを見た今泉は、そのダッシュの秘密《ひみつ》に気がついていた。

下ハンドルに持ちかえて、頭を低くし、腰《こし》を高く上げてこぐ。

これは、平らな道の短距離《たんきょり》でこそ、力をだせるスプリントの走り方。

山岳コースでは足への負担《ふたん》が大きく、常識《じょうしき》はずれのやり方となる。

「鳴子、おまえは、ただの短距離型のスプリンターだと思っていたが……‼」

今泉は内心、おどろいていた。

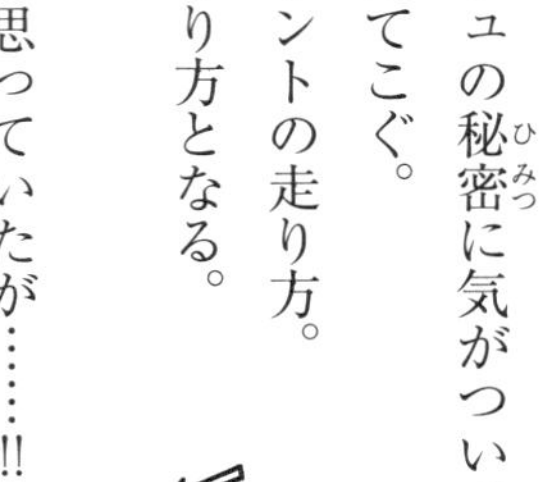

「ふふふ、見さらせ‼　おるぅあああああああああ」
鳴子はさけびながら加速した。
「うわあ、鳴子くんが消えた！」
ロケットエンジンに着火したようにすっ飛んで行っ

た鳴子は、坂道の視界《しかい》から消えたように見えた。
「速い、速いよ、鳴子くん!!」

「ふふふ、二人はおどろいとるやろな。ワイは、パワーと根性《こんじょう》じゃだれにも負けへん、直線番長。ナニワのスピードマンは直線で負けなしや。せやけど山岳コースは苦手やった。しかし、レースに勝つためには山も登れにゃ話にならん」

鳴子は関西の六甲山《ろっこうさん》で、つらい練習をくり返したことを思い出していた。

「すべては関東で、はなばなしくデビューするため、と来る日も来る日もがんばったんや。

パワーのかけ方、ギアの選択《せんたく》、練習をくり返して……坂を登るコツがわかってきた。

そうしてあみ出したのがこいつ！

この重めのギアと、ふせこんだ前傾姿勢《ぜんけいしせい》の前加重《まえかじゅう》で、車体をゆらして前に進むワイの得意分野をいかしたパワー型の登坂《とはん》（クライム）こそ、ワイが超絶特訓《ちょうぜつとっくん》のすえにあみ出した

「必殺技《ひっさつわざ》『スプリントクライム』や!!」

速度を上げた鳴子が二台を引きはなしていく。

今泉はくやしさをにじませ、
鳴子にはなされまいとペダルをふむ。

坂道にかまっている場合ではない。

今泉は先に右コーナーをカーブした鳴子のすがたを追う。

「鳴子め、かくしていたのか!? ここまで。このオレを相手にしながら!! 今のオレは山《さん》岳《がく》で負けることはゆるされない。……つかまえてやる!! どうすれば、飛び出した鳴子に追いつくか」

くねくねと右に左に曲がる上り坂だが、できるだけ直線で走れるようなラインどりをする今泉。少しでもカーブをショートカットし、鳴子に近づかなければならない。

今泉は冷静《れいせい》に作戦を考えた。

「山岳を自転車で登るのに必要なのは、適切《てきせつ》なギア、適切なライン、そしてリズム。坂のリズムを読みとり、最小限《さいしょうげん》の力で最大限の力を発揮《はっき》することだ。大事なことは、パワーでも根性《こんじょう》でもない！」

言うやいなや、カチカチ、ジャジャジャンとギアをチェンジ、加速しながら言い放った。

「教えてやろう、自転車は、頭脳《ずのう》で走るスポーツだということを！」

ギュンッ!!

力強い加速で、今泉は鳴子の真横にマシンをならべて走ると、鳴子が声をかけてきた。

「なーんや、ついてこれるやないかい。口先だけやなさそうやな」

「鳴子よ、忠告《ちゅうこく》してやろう。おまえのクライミングフォーム。そのふせた姿勢《しせい》は、酸素《さんそ》の摂取量《せっしゅりょう》が減《へ》る。より多くの酸素を必要とする山岳《さんがく》では胸《むね》をおこして登るほうが、効率《こうりつ》がいい」

「そんな効率、ミソをつけて食ったるわ。説教《せっきょう》なら、ゴールしてからに……ん⁉

オイオイ、まじかい……‼」

鳴子はうしろの気配を察《さっ》し、おどろいた。

うしろからもう一台、坂道のマシンが追いついて来たのだ！

鳴子のスプリントクライムや、今泉の頭脳《ずのう》走行のようなワザをもたない坂道が、なぜか二人のあとをついてきたのだ。

「来とる…あいつまで来とるやないかい」

「！」

予期していなかった今泉は目を見開いた。

はッ

はッ

はッ

はッ

はッ

はッ

はッ

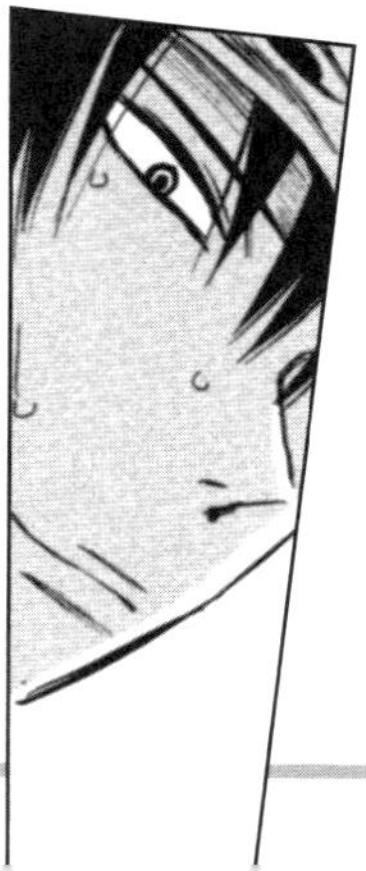

坂道はうつむいたまま前も見ず、あらい息でひたすらペダルをふんでいる。

「ああ、顔をふせてるわ。ちょいと苦しそうやな」

鳴子は心配したが、今泉は否定《ひてい》した。

「…いや、そうじゃない」

「⁉」

「おまえは知らないかもしれないが、前にオレと裏門坂《うらもんざか》を登ったときはそうだった。あいつは……」

今泉がそこまで言いかけたときに、坂道が顔をあげて、声を出した。

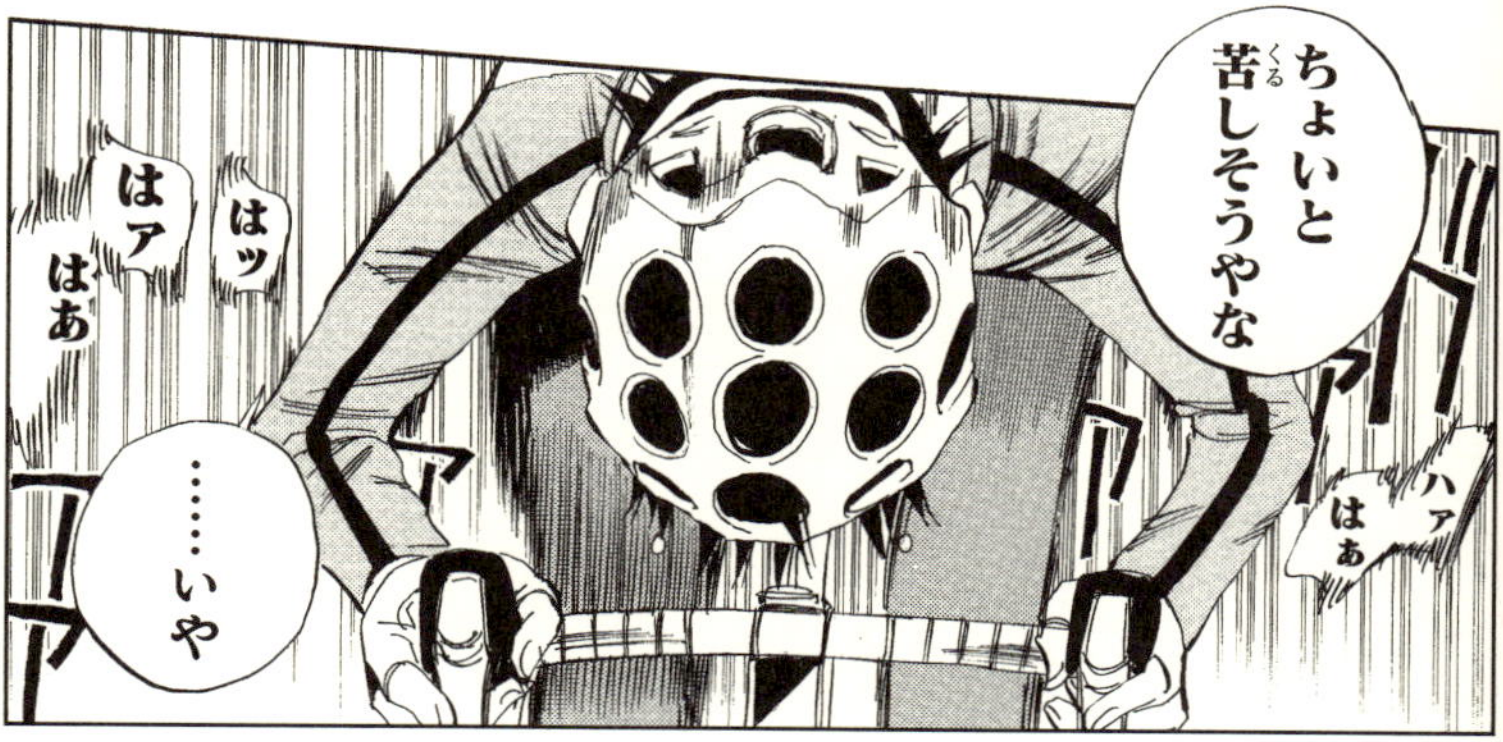

「ハァハァハァ、ねえ、待って、今泉くん、鳴子くん!!」

その顔を見て「やっぱりな。あいつは坂を登るときに、わらうんだ」と、今泉はつぶやいた。

「おいおい小野田くん、ひょっとしてキミの得意分野は、登りか……!!」

鳴子も、坂道のひめた力に気がついたようだ……。

# 第三章　激闘《げきとう》

## 目がはなせない

先頭の三人を追っている回収車の中の先輩《せんぱい》たち。

「おいっ！　置いてきぼりをくいそうになっていた小野田が追いついているぞ！」

「どういうことだ！」

坂道の走りに歓声《かんせい》がわいていた。

そうなのだ。
この一年生ウエルカムレースは、ひとつのオーディション。あと一人、新戦力《しんせんりょく》が加われば全国優勝《ゆうしょう》がねらえる総北《そうほく》高校にとって、即《そく》戦力として使える一年生が必要なのだ。

三人の先輩たちが、ギラギラした真剣《しんけん》なまなざしで見つめるのも無理はない。

オーディション合格者は、今泉か鳴子かと考えていたら、よもや、小野田坂道が激走《げきそう》を見せているのだから。

「フン、すぐにスタミナが切れるさ。

この走りで残り四キロ、もつのかね」

冷静《れいせい》な巻島先輩《まきしませんぱい》がなんくせをつけた。その声は熱くなりすぎる車内のふんいきをなだめるようにひびいた。

「もうすぐ激坂《げきざか》区間に入りますよ」

ミキは心配そうだ。

ここまで走ってきた山岳《さんがく》ステージは、ずっと上り坂。

最後、さらに斜度《しゃど》が上がって、坂がきつくなる。

「少し波乱《はらん》があるかも、とは予想《よそう》していたが、なんでしょうかね
……いまの小野田の走りから目がはなせない」
金城《きんじょう》は小野田に感心していた。
その言葉におどろいたのは、ハンドルをにぎる通司《とおじ》だ。
ストレートにほめる金城をめずらしそうに見ていた。

金城は続けた。
「あいつの走りには、今泉や鳴子とはまた別の楽しみがある。
なぜ、心ひかれるのだろう……。
一度はリタイアしかかって、そこから復活《ふっかつ》したからか……？
限界《げんかい》ギリギリのハイケイデンス（高回転数）で坂を登っているからか……？
今なお食《く》らいついているタフネスさか……？」
「ハッハッハッハッハッハー」
後部座席で大わらいしたのは、ピエール監督《かんとく》だった。

「キンジョークン、カレのミリョクは、そんなガンバリヤなところデハ、ナイデスヨ」

「どういうことですか、先生？」

監督は体を前に乗り出して、オペラを歌うかのように、両手を広げて言いはなった。

「ジテンシャはキョウギのドウグですが、ほんらいは楽しいものデス。

コンナンも、シッパイも、カコクさも、ジテンシャはゼンブ楽しさにかえてくれる。

まだ見たコトのナイ道を、海を、山を、前に進むスバラシサを！

カレがみせているのは、ジテンシャの本当のオモシロサ、デスよ!!」

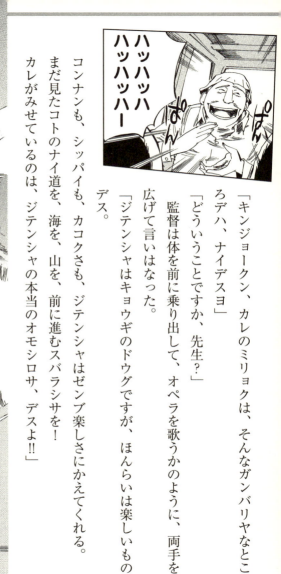

「やはり、波乱《はらん》の決着があるかもしれない……。このレース、どうなるのか、見てみよう」
金城《きんじょう》は腕《うで》をくみ直した。

そんな会話がなされているとも知らず、
走る三台のマシン――――。

## 鳴子章吉《なるこしょうきち》！

ジャッジャッジャッジャッジャッジャ

はっ、はっ、はっ、はっ、はっ

坂道はどんどんペダリングがうまくなっている！　と鳴子は感じた。

そして、二位を走る今泉は、坂道を初心者だと思っていたら、やっかいなことになりそうだと舌打《したう》ちをした。

山頂《さんちょう》のゴールまであと四キロ地点。

レースは一位・鳴子、二位・今泉、三位・小野田の順で進行している。

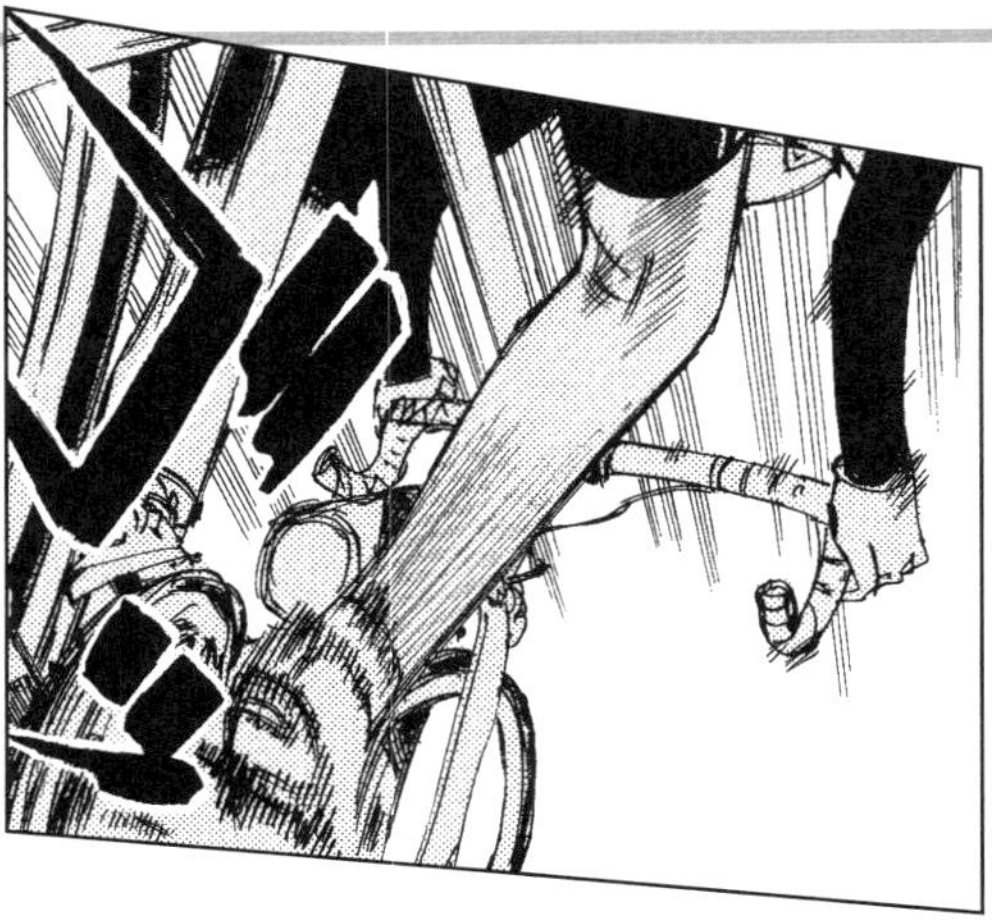

今泉にとっては前門《ぜんもん》のとら（鳴子）、後門《こうもん》のおおかみ（小野田）にはさまれている状況《じょうきょう》だ。

さっきまでは、いかに鳴子をぬくかだけを考えていたが、うしろから追いついてくる小野田のことを無視《むし》しているわけにはいかなくなったのだ。

「くそっ……!!

もう十パーセント、ペースをあげる!!」

さすが頭脳派《ずのうは》の今泉。コンピュータのような計算で、すぐさま正しいペースを見つけだした。

小野田を引きはなして、あきらめさせて、そして、鳴子を追撃《ついげき》せねばならない。

ジャッジャッジャッジャッジャッジャ
はぅ、はぅ、はっ、はっ、はぅ、ぅ、ぅ

「あかん、この先、斜度《しゃど》が上がるんか⁉
聞いてへんぞ！」

このとき、先頭の赤いマシン、鳴子は
ちょっと動揺《どうよう》していた。
全速力でこいでいく鳴子の前に立ちは
だかった斜度十八度の坂が、そびえたつ
カベのように見えたのだ。
それはレース前にもらった地図ではわ
からなかったことだ。

「このカベを登れっちゅうんかい！　あかん!!　ワイの必殺技《ひっさつわざ》スプリントクライムは、重いギアをふんで必死こいて回すから、斜度《しゃど》の変化に弱いんじゃい！」

とつぜん、スイッチがオフになったかのように、赤いマシンはスピードダウンした。

坂がきつくなり、今までのようにペダルがふめない。

鳴《なる》子《こ》章《しょう》吉《きち》、ここまでだった。なんというあっけなさだ。
その横を、音もなく今泉がぬきさり、そして、坂道がぬいて行った。
鳴子は自分からはなれていく二人のせなかを、見上げるしかなかった。
やつらが〝カベ〟を登っていく。

鳴子はほえた。
「ワイはスプリンタータイプの
スピードマンや…。平らな道で
最速に特化したワイの脚《あし》は、
こんな山には不向きなんや！
くそぉおおおおおおお!!」

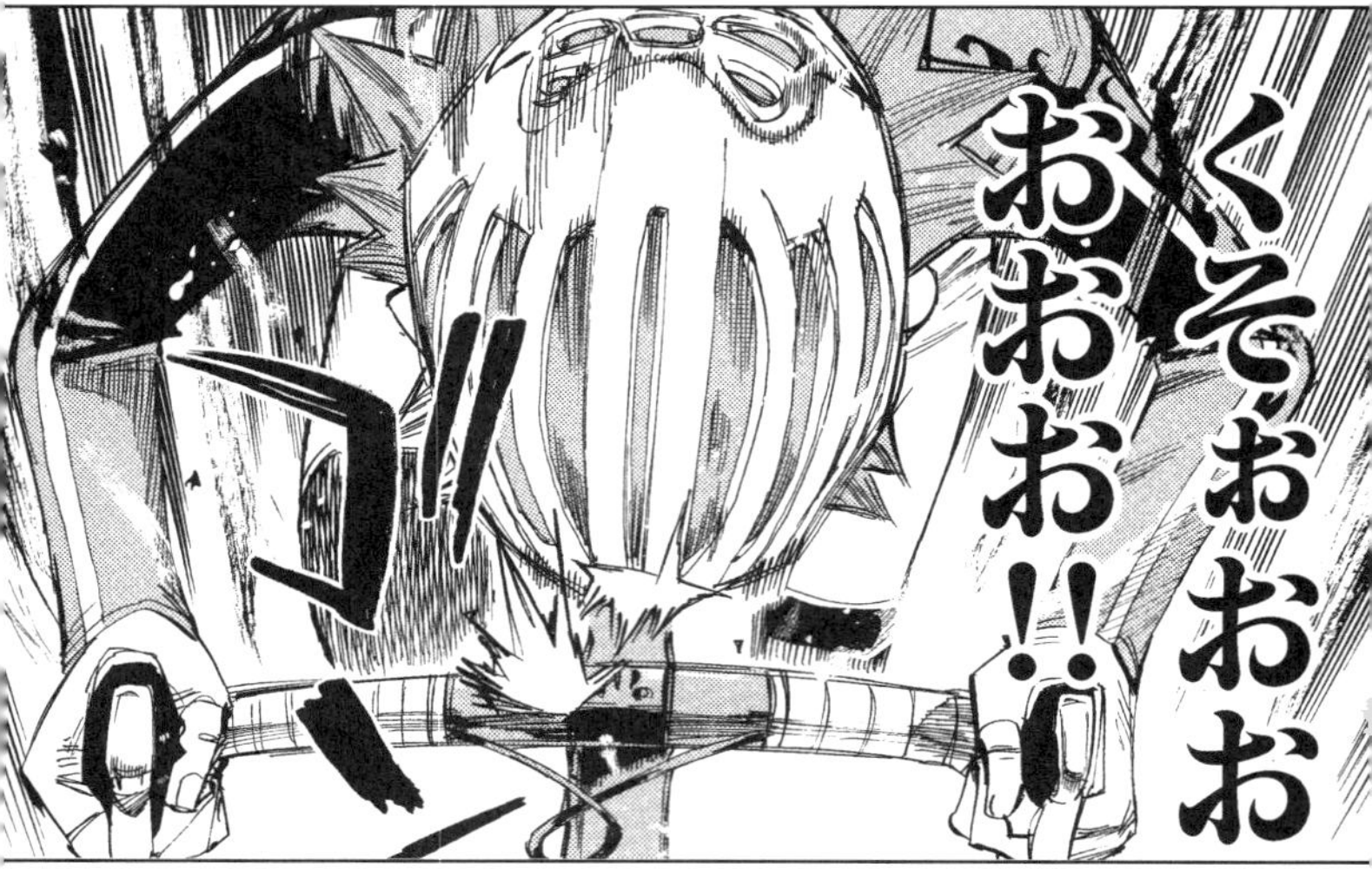

## だれよりも速く

「鳴子くん、どうしたの？　具合が悪いの？」

「はあああ？　小野田くん、ええから行け！　おまえ、ワイをぬいていったんちゃうんかい。アホか、レースの途中《とちゅう》でなに足を止めとんねん！」

いったん鳴子をぬきさった小野田が、鳴子をほうっておけないとばかり、かれが来るのを坂の途中《とちゅう》で待っていたのだった。

「だいじょうぶ、ボク、鳴子くんにペースをあわせて登るから、いっしょにがんばろうよ」

「アホか。ワイのことなんかええから、登れ言うとるやろ！」

「鳴……子……くん」

「アホかアホかアホか!!　これはレースやぞ。ワイはペダルに命をかけとんねん。真剣勝《しんけんしょう》負をやっとんねん。待った待たれた、で結果がよくなっても全然気持ちよくないわ。ワイは全力をしぼり出しとんねん。おまえも全力をしぼり出さんかい」

「でも、鳴子くん……」

「小野田くん、部活に入るときになんて言った?　おのれの可能性《かのうせい》を試すんやろ?」

おののく坂道の目をしっかり見すえて鳴子は続けた。

「だったら全力やろ!!」

坂道はにらむような鳴子の目つきにハッとした。
鳴子には坂を登る力はもうない。坂道にはまだある。
これはレースなのだ。弱った者にかまっていることはできない。
ざんこくな世界なのだ。

「心配すなや。ワイは激坂《げきざか》が苦手なだけや。あがいて、あがいて、あがきまくって、坂にぶつかっただけや。下りになったら、あのスカシ泉に追いついて追いぬいたる。ほんでもって優勝《ゆうしょう》したる!!」

「鳴子くん……」

「はよ行けや。言うたやろ、人には得意不得意があるねん。そうや……、ちょっと手をかせ」

そう言うやいなや、鳴子は小野田の手をガチッとにぎった。

ハンドルをぎゅっとにぎってきた鳴子の手のひらは、ゴツゴツしていた。マメだらけなことがグローブごしにでも、つたわった。

「小野田くん、ワイの根性《こんじょう》を注入したる。折れるな。強い気持ちで行け。くじけるなや。

だいぶムチャして登ってきたから、おまえのスタミナもそろそろ限界《げんかい》やろ。

最後にふんばりを見せろ。

おまえの得意分野は〝登り〟や!!

今泉を、ぬけ！　ほんでもって、だれよりも速く、山の頂上《ちょうじょう》にたどりつけ‼」

登り……その言葉を心の中でくりかえしながら、坂道はさけんだ。

「鳴子くん！」

自分を応援《おうえん》してくれる鳴子の熱さにうたれて、坂道の目からはなみだがポロッとこぼれた。

「アホ、泣《な》くなや。せやけどな、おまえがヒルクライムで勝つためには、必要なものがひとつ足りん」

「え？　それはなに？」

「ええから聞け。山っちゅうのはな、自転車乗りにとって、特別なものなんや。山は重力にさからって自分の体重と自転車を引っぱって登る」

「たしかにそうだね」

「せやから、一番初めに峠《とうげ》の上についた者には、優勝者《ゆうしょうしゃ》とはべつに特別賞が与えられるんや。それが山岳賞《さんがくしょう》や。世界で一番有名なレース『ツール・ド・フランス』の山岳賞は、白地に赤の水玉がらのジャージがもらえるんや。マイヨ・ブラン・ア・ポワ・ルージュという名誉《めいよ》のジャージや。これが一番はででカッコええんや」

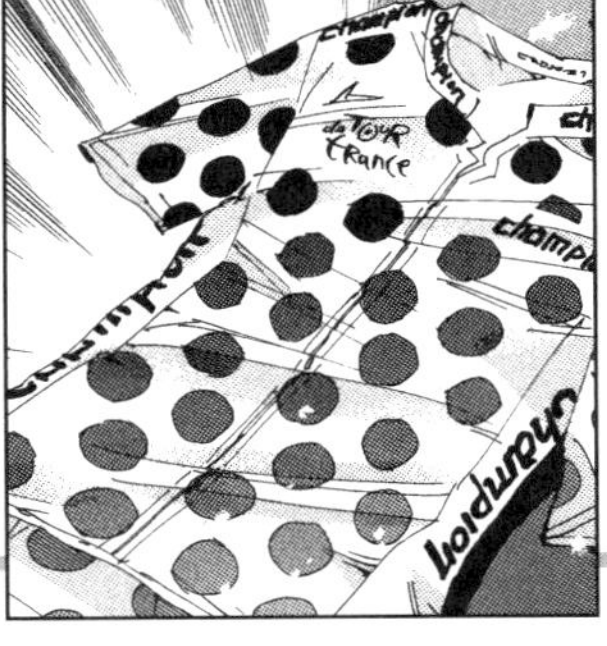


「山岳…賞」

とまどう坂道をよそに鳴子は続ける。

「ワイはスプリンターやから、おまえにたくす。この峠はおまえが制《せい》せ。ワイがおまえに足らないものをおぎなう必殺技《ひっさつわざ》を教えたる」

そして、坂道の耳元でなにやらささやいた。

「わかったな。イザというときに使うんや。よし、行け！　ふんばれよ、小野田くん!!」

「うん!!　わかったーーーーーっ」

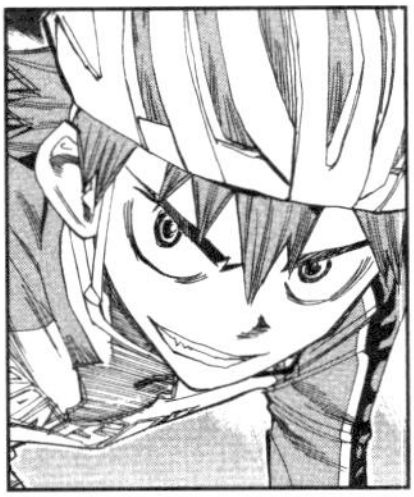

山《やま》の頂上《ちょうじょう》に
辿《たど》り着《つ》け!!
うん!!

坂道はもうれつにこぎ始めた。
そして、あっという間にすがたが見えなくなった。
「しっかし、容赦《ようしゃ》ないなあ……、もう見えへんで。
よし、でもワイのレースも終わってへん。
上りをなんとかしのいで、下りでばんかいして、
ほんでゴール前五百メートルで勝負やで!!」

## クライマーとしての欠点

順位が入れかわった!
このことに気がついた回収車の中では、
またもや大きな歓声《かんせい》が上がっていた。

「おい！　小野田が鳴子をぬいたぞ！　どうなっているんだ」

「これで四人ぬきだ！」

「ま、あたりまえショ。鳴子はスプリンターっショ。陸上の短距離選手《たんきょりせんしゅ》がマラソンを走れないのと同じで、鳴子は山に向いてないっショ」
巻島先輩《まきしませんぱい》が解説《かいせつ》した。
だが、それをさえぎるように田所先輩が大きくうなった。
「おもしろくなってきたな、このレース。このままなら、まさかの小野田勝利もありえるぞ。

まったくノーマークの初心者だったのに。あいつには自在《じざい》に回る足、身軽な体、目標《もくひょう》にまっすぐ向かう強い気持ちがある。本人は気づいていないようだが、天性《てんせい》のクライマーだ!!」

小野田くん、先輩《せんぱい》にほめられているよ！　とミキは自分のことのようにうれしかった。

「このまま今泉をぬいて小野田が勝利？　その可能性《かのうせい》はない。残念だがその〝まさか〟は見られない」

ムードをぶちこわしたのは、さっきまで小野田のことをほめていた金城《きんじょう》だった。

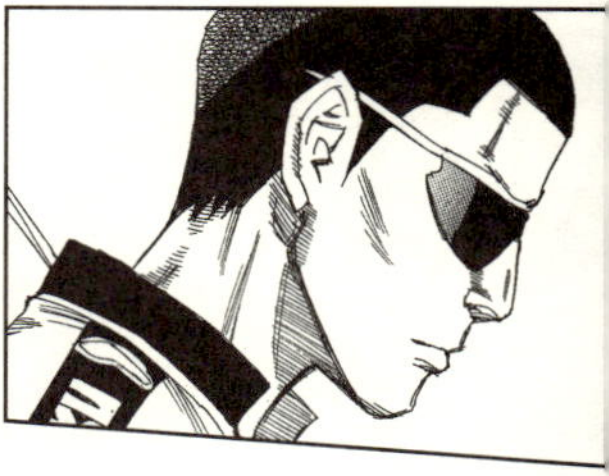

「残念ながら、今の小野田にはクライマーとして技術的《ぎじゅつてき》に欠けている部分がある。そこが、今泉との差をわけるだろう」

金城の重いことばに、ミキたちはごくりとつばを飲みこんだ。

「ハッハッハッハッ！」

明るいわらい声がひびいた。ピエール監督《かんとく》だ。

「いや、まだワカリませんヨ。ヒトは、意外に早く成長するものデスヨ」

監督はボソッとつぶやいた。

# 今泉のプライド

第二ステージの山岳《さんがく》コース。
峰《みね》ヶ山《がやま》の山頂《さんちょう》まで残り二キロ。
強敵《きょうてき》の鳴子をぬいてトップに立った今泉は、冷静《れいせい》に頭脳《ずのう》をめぐらせていた。
この先のレース展開《てんかい》をよむのだ。
「このあと下り坂の第三ステージ、ダムを周回《しゅうかい》する第四ステージが残っている。
総合優勝《そうごうゆうしょう》するには、なにもこの山岳ステージでスタミナを使いきる必要はない。

うしろから追いかけてくる小野田の走りは、全行程《ぜんこうてい》の六十キロを完走するペースじゃない。

あいつは、この峠《とうげ》にすべてをかけている……山岳賞をとりにくるのか。

オレにとって、ここは通過点《つうかてん》。一位だろうが二位だろうが、勝敗《しょうはい》には関係ない」

シェイン、シェイン、シェイン、シェイン
はっ、はっ、はっ、はっ、はっ、はっ、はっ、はっ
風を切りさきながら、順調《じゅんちょう》なペースで坂を登っていく今泉。

「オレの目標《もくひょう》は全国だ。そして世界だ。あの御堂筋《みどうすじ》をたおして、ほかを圧倒《あっとう》する」

ライバル、御堂筋の顔がふいによぎった。

「だから、そのときまではどんな小さなレースのささいな勝敗であっても、オレは絶対《ぜったい》に負けない!!　初心者に負けているばあいじゃない」

今泉は心のなかで力強くつぶやいた。

「おっと、心拍数《しんぱくすう》が上がりすぎた」

今泉はハンドルにとりつけたサイコン（サイクルコンピュータ）の表示を見た。

彼《かれ》のサイコンは高性能《こうせいのう》のもので、速度以外にも心拍数が表示される。レーシングシャツの下、ちょうど心臓《しんぞう》のあたりに細いベルトがまかれていて、センサーがかれの心拍数をはかっている。

その数値《すうち》を電波《でんぱ》でとばして、サイコンの画面に表示するのだ。


心拍計の数字は、一分間に心臓がドクンと何回打つかの数。

百九十と出ていた。

今泉は少しこぐペースを落とした。数字は百六十八になった。

心拍数が上がりすぎると、心臓がオーバーヒートをおこして、長くは走れない。

心臓にかかる負荷《ふか》と、自転車のスピードを調整《ちょうせい》して、ペースを一定にたもつこと。自転

車のレースは、なんといっても「心拍《しんぱく》のマネージメント」が勝負をわけるのだ。

「……ってことは、頭ではわかってるんだけどな」

そうつぶやいた今泉は、サイコンをハンドルの向こうがわにぐるりと曲げて、画面を見られなくした。

「体がだまっちゃいない！

さあ来い、小野田、こっからは頭脳戦《ずのうせん》じゃないぜ‼」

オオオオオオオ！

今泉は不敵《ふてき》な笑《え》みとおたけびとともに、これまで以上にペースを上げた。

そのすがたはマシンと一体化した、凶暴《きょうぼう》なけものになったかのようだった。

冷静《れいせい》な今泉がペースを上げたことは、すぐに回収車の先輩《せんぱい》たちも気がついた。

おどろきの声が上がった。

「おいおい、今泉がペースを上げているぞ。さっきより差が開いている」

「うそだろ？　なんだって？　おかしいぞ。ペースキープでいい場面だろう！」

「今泉がおかしい！」

「明らかにオーバーペースっショ。頂上《ちょうじょう》はいいとして、その先のゴールまでもつんすかね」と巻島《まきしま》。

「この第二ステージ、山岳《さんがく》のトップもゆずらない気だ。小野田が追ってきて、一騎打《いっきう》ちになるとわかってるんだ。あいつは相当な負けずぎらいだ」と田所。

「今泉くんたら……」
ミキは心配そうな表情《ひょうじょう》をうかべた。

## ミキは知っている

ミキと今泉は幼《おさな》なじみ。小学生のころからの長いつきあいだ。

自転車屋の娘《むすめ》だったミキは、小学生のときから将来有望《しょうらいゆうぼう》なレーサーだった今泉に、興味《きょうみ》しんしんだった。

今泉は子どものころから変わり者だった。

「わたしも自転車が大好きなの。自転車好きどうし、友だちになろうよ」

ミキがさそうと、けんもほろろにことわられた。

「キミ、友だちがいないタイプでしょ!」

つい意地悪を言ってしまった。

「友だちがいなくてもいいんだ。オレにはこいつがいるから」

自転車のサドルをゴシッとなでながら、そう今泉が返したことをミキはわすれていない。

あのとき、今泉は本心を話していた。

「返事が小さいだとか、目つきが悪いだとか、時間どおりに行動しろだとか、先生も友だちも正直、うざい。だから勝つんだ。そうしたらだれももんくを言わなくなる。きのうまでもんくを言っていたやつがだまるんだ」

ガラにもなくしゃべりすぎたと、ふとわれに返った今泉だったが、最後にひとこと、ミキの顔を見てつけくわえたのだ。

「だから勝つ……知っているか？」

「なに？」

今泉を見つめ返したミキのひとみにうつった彼《かれ》の表情《ひょうじょう》は、なぜかとてもおだやかだった。

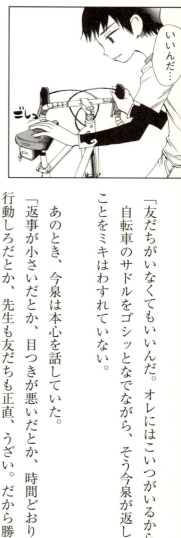

「……一位は一番、静かなんだぜ」

そのあと中学時代も優秀《ゆうしゅう》なレーサーだった今泉。

しかし、その走りはもっとあらけずりだった。

「そこどけ!」とおそいやつをおしのけて、相手のことを考えずに、無理やり自分の思いをとおしていく。そんなあらっぽくて、わがままな性格《せいかく》だった。

その炎《ほのお》のような熱さを、自分でおさえておさえて、今のちょっと成長した今泉ができた。彼《かれ》が頭脳派《ずのうは》と言われるのは、自分の中であらぶってのたうちまわる竜《りゅう》のような気持ちを、なんとかおさえこんでいるからなのだ。

そういうことは、ミキだけが知っていた。もちろん、だれにも言わない。

にげる今泉、追う小野田。

わきたつ先輩《せんぱい》たち。

ミキは一人、ドキドキしていた。

でもね、わたしだけが気がついている。

今泉くん。あなた、小野田くんと走っているときは、むかしの走りにもどっているのよ。

最初に小野田くんと出会った裏門坂《うらもんざか》のときもそうだった。きょうもそうよ。

きっと小野田くんには、今泉くんの本気をひきだすなにかがあるのね……。

## ボクにできること

どうした、小野田、もうすぐ山頂《さんちょう》だぜ。
おまえは、まだ来ない。
まだ来ないじゃないか。
おまえはどこで、こいでいるんだ?
追いかけているだけじゃ、その先はないぜ。

頂上まで、残り1キロ。
今泉はあらい息をはきながらも、笑《え》みをうかべてペダルをふんでいた。
この山岳《さんがく》ステージをだれにもわたしたくない。

そのころ、坂道はこまっていた。

どうしよう…。

こいでもこいでも、差はちぢまらない。コースのラインどりも、変速《へんそく》も今泉が格段《かくだん》にうまい。

直線になると今泉のせなかが一瞬《いっしゅん》見えるが、カーブが続くと見えなくなってしまう。

今泉のスパートが、きいていた。

同じペースで走っていてもダメだ。レースってものは、相手よりも速いペースで走らないと追いつかないんだ。

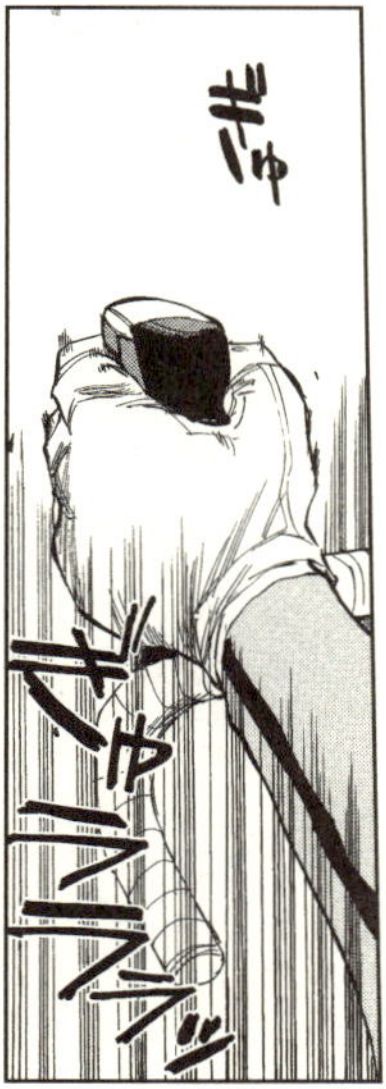

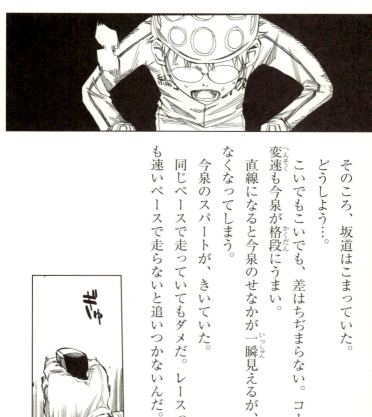

もう部長さんも寒咲《かんざき》さんも、今泉くんも、鳴子くんも、アドバイスはくれない。一人でなんとかするしかない……。

でもだいじょうぶ、鳴子くんが力をくれたんだ。

そうだ、ボクができることは、アレしかない！

「あああああああああああああ…!!!」

回収車の中の三人の先輩《せんぱい》、そしてピエール監督《かんとく》、ミキ、兄の通司《とおじ》、全員が目をまるくして、まどの外の坂道を見た。

「おい、見ろよ！」

「小野田くん！」

「なに、やった⁉」

車の前方には、ありえない光景が見えた。

「小野田が、今泉にならんでる！」

小野田《おのだ》が今泉《いまいずみ》に
並《なら》んでる!!

車の中の熱狂《ねっきょう》は最大ボルテージだ。
上り坂で、坂道は今泉に追いついたのだった。
しかも、

「はなされない！
食《く》らいついてる！」

うしろの座席《ざせき》の巻島《まきしま》が
前に飛び出さんばかりの
いきおいでさけんだ。

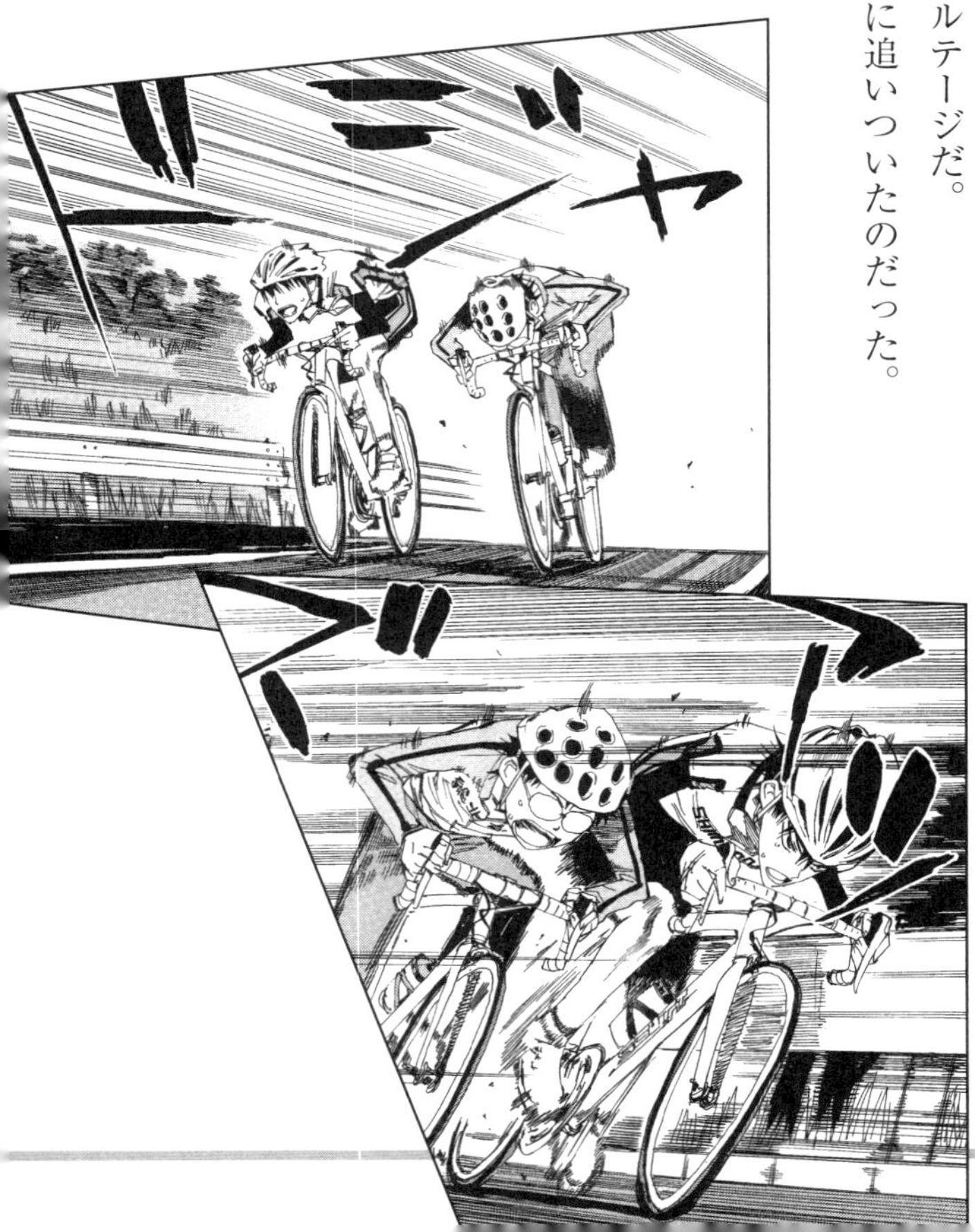

「なにをした？　小野田！」
今泉がさけんだ。

「ボクが、できることは、一つくらいしかないです。回転数をもう三十回転、上げたんです！　か、かなりハードでしたけど、無事に追いついて、よ、よかったです」

「アホだろ…ふつうは急に三十回転も上がらないんだよ。しかも上り坂だ！　ヤベェ、またアツくなってきた」

うぉおおおおおおおおお
ジャァッ、ジャァッ、ジャ——、ジャァッ
ああああああああああああああ
グルグルグルグルグルグルグルグルグルグルグルグルグルグルグルグルグルグルグルグルグルグル
グルグルグルグルグルグルグルグルグルグルグルグルグルグルグルグルグルグルグルグルグルグル

ならんでやがる!

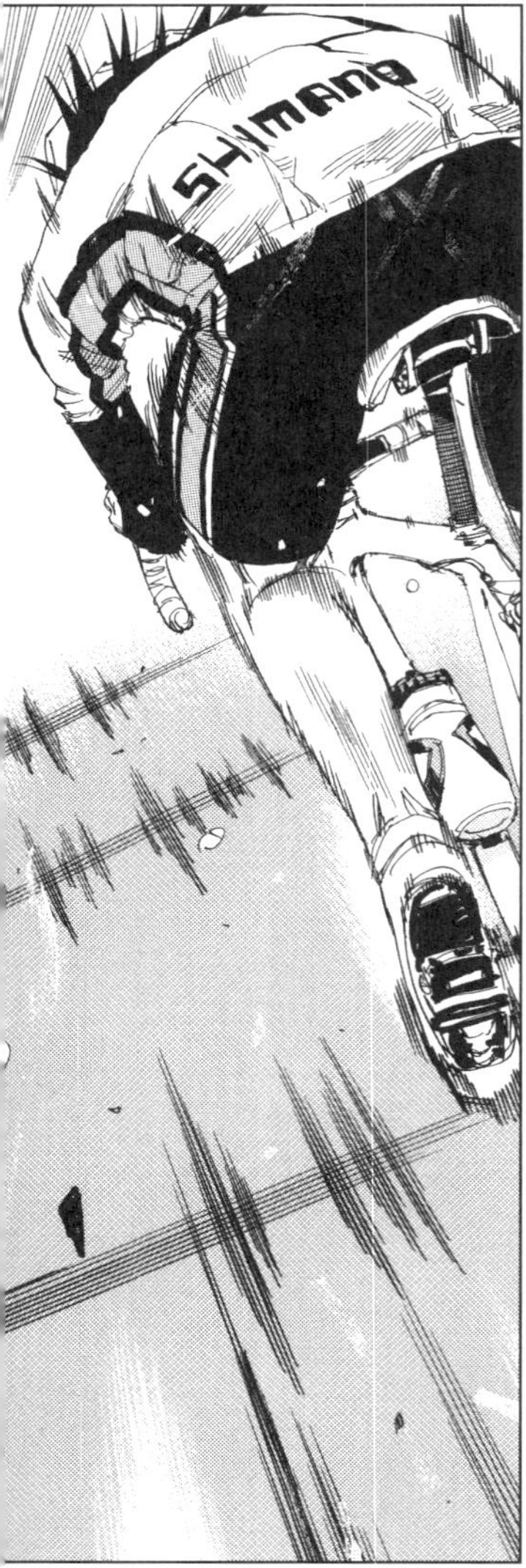

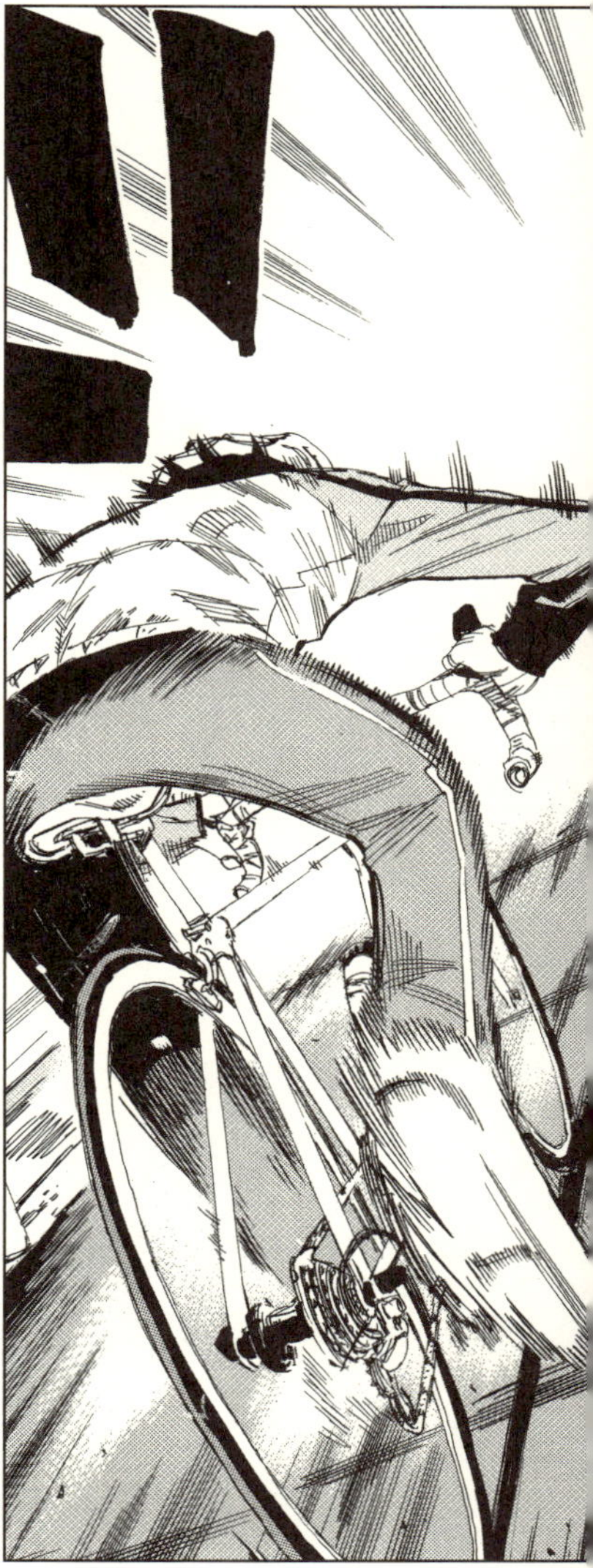

ついこの間までは自転車のドシロートだったヤツが、スポンジみたいにいろんなもんを吸収《きゅうしゅう》して、アホみたいに成長してやがる！

今泉は坂道の力におどろきながら、心の中でつぶやいていた。

「ならんだ、ならべた！　きつかったけど、なんとかならべた!!　残り五百メートル……これで約束《やくそく》をはたせるよ、鳴子くん！」

坂道は最後の力をふりしぼりながら、自分をほめるように言うと、一心《いっしん》にペダルをこいだ。

そのとき、今泉はニヤリと笑《わら》い、トドメをさすようにさけんだ。

「小野田、おまえの捨《す》て身のクライムを楽しませてもらったぜ。でもな、こいつがなけりゃ最終局面《さいしゅうきょくめん》ではぜったいに勝てない。ダンシングをおぼえて、もう一回チャレンジしにこい!!」

そう言うやいなや、今泉はおしりをサドルからうかせて、ペダルの上に立った！

ダンシングを覚《おぼ》えてもう一回《かい》チャレンジしに来《こ》い!!

立ちこぎ！

通称《つうしょう》、ダンシング！


その瞬間《しゅんかん》、回収車の中の先輩《せんぱい》たちはいっせいに顔をくもらせた。わずかにあった坂道勝利の希望はたたれたと思ったのだ。

坂道にはクライマーの技術《ぎじゅつ》で決定的にだいじな「ダンシング」の技術《ぎじゅつ》がないのだ。あまりにも初心者すぎて。

「残り三百メートル、今泉が立ったぁ!!　これは決まっちまったかーーー」

勝負の決着はもうついた、と車内にあきらめのふんいきが満ちる中……ただ一人、目をらんらんとかがやかせている男がいた。

坂道だ。

変速《へんそく》レバーに指をかけると、
カチカチと二回タッチ。

ガチャッ、ガチャッ、…ヂャンヂャン!!
「ギアを二枚、あげた!? こ、この動きは……まさか!!?」
車内にまた緊張《きんちょう》が走る。
「ダンシングならだいじょうぶ、さっき鳴子くんにならったんだ！」

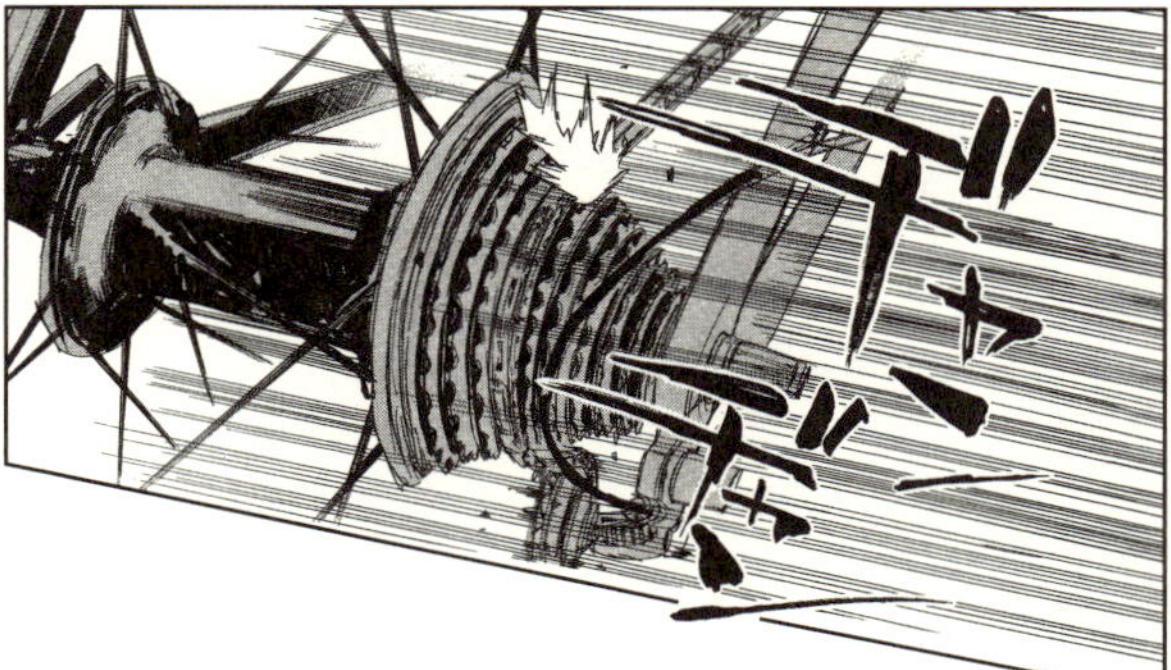

さっき

鳴子《なるこ》くんにならったんだ

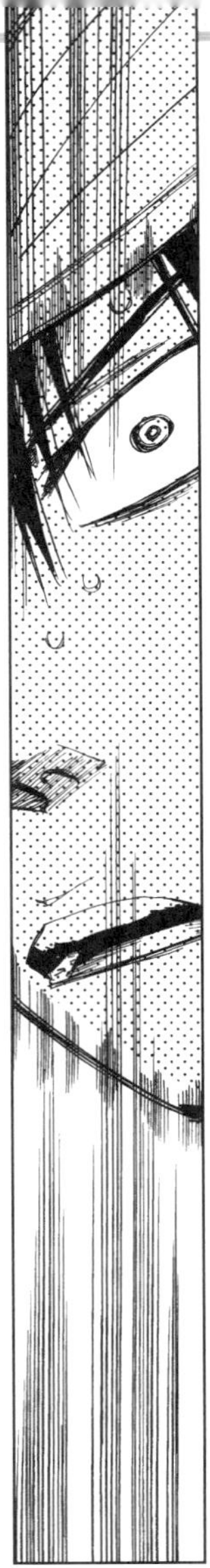

坂道はさけびながら、ならったばかりの立ちこぎを始めた。

「小野田が、立ったあーーー!!!」回収車からはとうとう悲鳴《ひめい》が上がった。

二人からおくれること、カーブ三つ分。単独《たんどく》走行を続ける鳴子は、笑《え》みをうかべていた。

「今ごろ、みんなおどろいているはずや。鳴子直伝《じきでん》のビックリドッキリダンシングが炸裂《さくれつ》してるころや！　いけ、小野田くん、今のおまえは無敵《むてき》や！」

## 全力×全力

超《ちょう》高速で坂をかけ上がるマシン二台。
山頂《さんちょう》までは最後の直線三百メートル。
ダンシングする今泉と、これまた人生初めてのダンシングをする坂道。

「ぬかせねーよ!」

バーン!

今泉は坂道にかたをぶつけた。
ゆらめいた坂道!
いや、たおれない。もちなおす。
わあああああああああああああああ!
坂道は絶叫《ぜっきょう》しながら、
前だけを見つめて
こいでいた。

「いけっショオオオ!!　小野田ーー!!!」

いつもは冷静《れいせい》な巻島《まきしま》が、われをわすれて応援《おうえん》の声をあげる。

全力――

「ええか、小野田くん、全力というのはな、あせも血も、さいごの一滴《いってき》までしぼりきることやで」

鳴子の言葉が坂道の脳《のう》のおくでひびいていた。

「全力、全力、全部の力を出しきれ!!」

うおおおおおおおおおおおおおお
「勝つ、勝つ、勝つんだオレは！」
「出しきれ、出しきれ!!」
ヒメーーーーーーーーーーーーーーーーッ!!!

わああああ
ああああ

大好きなアニソンの一節《いっせつ》をさけびながら峠《とうげ》の頂上《ちょうじょう》のラインを通過《つうか》した坂道。車体が半分、今泉のマシンよりも前に出ていた。

ゴ―――――――ル!!!

坂道が勝った！

金城《きんじょう》は思わずサングラスをはずした。

田所、巻島《まきしま》、ミキは立ち上がって絶叫《ぜっきょう》した。

「小……野田が勝ったあああ!!!」

「スゴいっショ、ドリームっショ!!!」

「山岳《さんがく》ステージを取っちまった!!!」

「奇跡《きせき》の五人全員ぬき!!」


車内はお祭りさわぎとなった。

「勝因《しょういん》はなんだ? 体重の軽さか?」

「いや、ダンシングをかくしていてあそこで出した作戦ショ!」

「それをささえた鬼《おに》ケイデンス(回転数)もあるぞ」

田所と巻島、二人の先輩《せんぱい》はこうふん冷《さ》めやらぬようすでしゃべり続けている。

そこでミキがポツリとつぶやいた。

「……気持ちの強さだと思います」

ガラガラガッシャン、ゴロゴロ、ドサッ、バサッ!!

坂道は、ゴールすると、そのまま左の草むらにたおれていった。

その横を今泉のマシンがとおりすぎていった。

　そう、「山岳《さんがく》ステージ」はゴールしたが、ウエルカムレースはまだ終わっていないのだ。

　今泉はダムに向かって坂を一気に下る、「第三ステージ」へと入っていったのだ。

坂道がすっころんだ横へ、回収車が止まった。
ミキや先輩《せんぱい》たちがすぐさまおりてきた。

「小野田くん、だいじょうぶ？　意識《いしき》はある？」

はぁ、はぁ、はぁ、はぁ
はぁ、はぁ、はぁ、はぁ

急に時が止まったようだ。
さっきまで、こぎにこぎまくっていたのがウソのようだ。
坂道はあらい息をはきながら、天を見つめてひっくり返っていた。

やがて、声をしぼり出した。

「か、寒咲《かんざき》さん、みなさん、ボ、ボ、ボク、山頂《さんちょう》をとりましたよね！　坂を登って、一番で峠《とうげ》に着きましたよね」

「うん」

ミキは思わず、ねころんだままの坂道の手をぎゅっとにぎっていた。

「よ、よ、よかった…」

ほっとする坂道。

そのとき、田所先輩《せんぱい》が大声をかけた。

「よし！　走れ！　小野田、起きろ！　残りは下りがメインだから、こがなくていい。またがっているだけでいける。すぐマシンに乗れ！」

「田所先輩、なにを言うんですか！　いまの小野田くんにはムチャです！」

ミキはおどろいて、うったえた。

「バカヤロウ！　こいつはせっかく山岳《さんがく》ステージの一着を取ったんだ。一番になったって最終ゴールまでたどりつかなきゃ、それはカウントされねえ！　自転車レースのルールを知っているだろ？　ここまで来たんだ、最後まで走れ、小野田!!　伝説を作ってみせろ!!」

「小野田、立て!!」

そのきびしい声は、金城《きんじょう》だった。

「金城さんまで、なんてことを言うんですか!!」

ミキは悲鳴《ひめい》をあげた。

ところが金城は、立ち上がろうとした坂道にかたをかすと、こう言った。

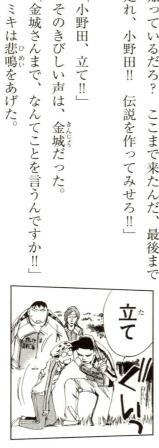

いいレースをしたな
ぐしゃっ
総北高校自転車競技部
休《やす》め
リタイアだ

「きょうはいいレースをしたな。休め。おまえはリタイアだ」

「……あ、ありがとうございます」

そう言って気がぬけたのか、坂道はその場でひざからカクッとくずれおちた。

太ももも、ふくらはぎも、つかれはててピクピクしていた。力が入らず、立てなかった。

「はっ！　そういえば、ボク、転びましたよね？
うわー、おかりした自転車がたおれてるー!!
すいません、すいません、すいません。きずがついているかも…」
坂道は自分の体のことよりかりたマシンのことが心配になっていたのだ。

## 名誉《めいよ》の山岳賞《さんがくしょう》

そこへ。

ジャア――――

一台のマシンが坂を登ってくる音がした。

坂道はリタイアしたが、レースはまだ続いている。


「鳴子くん！」

赤いマシンだ。鳴子が峠《とうげ》までやってきたのだ。

鳴子にはわかった。

坂道の表情を見て、今泉に勝ったことが。

鳴子と小野田は目と目であいずをした。

あとはまかせとけ!!

「小野田くん、やったみたいやな、あとはまかせとけ!!」

二人は通りすぎざまに、パチンと手をタッチした。

坂道は、友情の電流《でんりゅう》が手のひらをとおったような感覚《かんかく》がした。

そして第三ステージの坂を下っていく鳴子のうしろすがたを、
ずっと見おくっていた。

今泉を追う赤いマシンは流星《りゅうせい》のように、
すぐさま消えてしまった。

ホケキョ、と山の向こうのほうで
ウグイスがひとつないた。

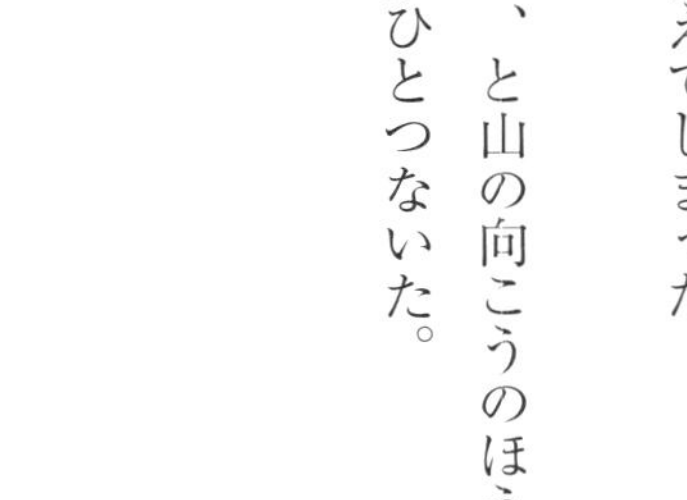

「さて、カゼをひくとイケナイ、このジャージに着がえなさい」

そう坂道に声をかけたのは、ピエール監督《かんとく》だった。監督はゆっくりと坂道の顔をのぞきこみながら言った。

「レースは楽しかったデスか?」

「はい」

坂道は、監督のひとみを見ながらうなずいた。

「きょう、あなたが見せてくれたのは、ロードレースそのものです」

「……ロード……レース?」

すると、監督はふりかえった。

そこには開けたすばらしい景色《けしき》があった。

「見えマスカ?　この景色が」

そう言うと監督は、風がふき上がってくる方向へ指をさした。

峰ケ山《みねがやま》の峠《とうげ》からは、街《まち》と、その向こうに海が見えた。

海がキラキラとかがやいていた。

「海も、街も、学校も……あなたはきょう、この景色《けしき》を一番速ク、登ってきたんですヨ」

ジャージにそでを通した坂道は、あせのしずくをおとしながら、春の風にふかれた。
「はい、あの、きつかったですけど、きょうは楽しかったです」

「わぁっ！」

坂道が着たジャージを見たミキは、小さく声をあげた。

ピエール監督《かんとく》が祝福《しゅくふく》をこめて坂道にわたしたジャージ。

白地に赤い水玉がたくさんついている。

それは、山岳《さんがく》ステージを一番に登ったものだけが着られる、名誉《めいよ》のジャージ。

「マイヨ・ブラン・ア・ポワ・ルージュ」だったのだ。

もっとも、坂道はその意味にまったく気づいていなかったのだけれど。

# レースのつぎの日

レース翌日《よくじつ》の登校時間。
ぺた、ぺた、ぺた、ぺた…
ろうかで変な音がする。
坂道の歩く音だった。
せなかとこしと首が筋肉痛《きんにくつう》。足はガチガチにかたまっている。
一歩一歩、ゆっくりとしか歩けないのだ。

つん！
首すじをうしろからだれかにつつかれて、坂道はひっくりかえった。
「おはよ！」

制服姿《せいふくすがた》のミキだった。

「いててて!!　あ、寒咲《かんざき》さん!」

「アハハ、筋肉痛?」

「はい、あちこちいたくて。全身カクカクです。転んだときのすりきずもおふろでしみました」

「しょうがないよね、きのうあんなにすごい走りをしたんだから!!」

くったくなくにっこりわらいかける笑顔《えがお》に、小野田はどきっとして一瞬痛《いっしゅんいた》みをわすれた。

ミキはレースのことを思い出しながら、話し続ける。

「小野田くんは難所《なんしょ》の峰ヶ山《みねがやま》を今泉くんや、鳴子くんや、ほかの一年生よりも速く、一番で登ったんだから」

ミキは人さし指をのばし、手で一番をあらわした。

「一番……いえ、あ、あれはみんなの力があったからで、スゴかったのはボクじゃなくて……」

「自信をもちなよー。スゴイことだよ！」

「いえ、ボクは…夢中《むちゅう》で…それに………ボクはリタイアしましたから……」

坂道は少しうつむいた。

「………そうだね」

ミキも口をつぼめてフゥと息をはいた。

そこへキザ男こと杉元があらわれた。

「いやあ、きのうのレース、リタイアね、残念だったね！　がんばったけどね。きびしいけど、レースはゴールにたどり着かないと結果にならないんだよね」

カッコをつけて髪《かみ》をかきあげた。

「ボクは一度はキミにぬかれたけど、ぐっとたえた。力を残しておいたんだよ。ゴールを見すえてね！」

杉元の話は続く。

「ごめんごめん、しゃべりすぎたね。めげずにガンバるといい。わからないことがあったら、なんでも聞いてくれたまえ。なんたって、ボクはウエルカムレース三位だからね、えっへん！　実力差があるのはしょうがない。ボクは経験者《けいけんしゃ》だからねー!!　はははははは！」

高らかにわらいながら、杉元は教室の方へ行ってしまった。

坂道とミキはあっけにとられた。

「なんだ、あのゆかいな男は？」

ミキの友だちのアヤがきた。

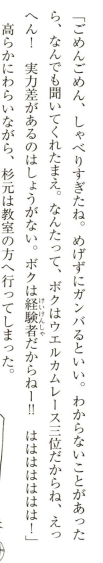

それをきっかけに、小野田も教室に向かう。

「じゃ、ボクもよるところがあるから」

ミキにそう言うと、アヤにペコッと頭を下げて、坂道はきびすを返した。

坂道のせなかを見ながら、アヤが言った。

「あれ？　あいつ……あんなに堂々《どうどう》としたふんいきだったっけ？」

## リザルト

坂道は、鳴子のいる教室へと向かった。
きのうのお礼《れい》が言いたかったからだ。
でも、まだ鳴子は来ていなかった。

坂道がリタイアしたあとのレースは、壮絶《そうぜつ》なものとなった。
にげきりをはかる今泉を、鳴子がどんどん追いつめて、最後は二人ならんだ。
坂道は金城《きんじょう》のとなりで、その場面を見ていた。
まわりは、二ひきの猛獣《もうじゅう》がたたかうような迫力《はくりょく》に、ただただ圧倒《あっとう》されていた。

そのとき、金城《きんじょう》が坂道に言った。
「どうだ、いっしょに走りたいか？　あの場にいたいか？」
のどがカラカラになりながら、坂道はかろうじて声を出した。

「………は、はい」
「だったら、よく見とけ。練習しろ！
強くなれ!!」
「はいっ!!」

上り坂に才能《さいのう》があることを、みんなに知らしめた小野田坂道。

しかし、まだ、才能のはしっこをほんの少しだけ見せただけだ。

自転車に出会ったことで、鳴子という友だちと、今泉というライバルができた。

アニメ研究会を作る夢《ゆめ》とはちがってしまったけれど、坂道は高校生活で一生懸命《けんめい》にとりくみたいと思うものに出会ったのだった。

小野田坂道、ここに「最強の初心者」が誕生《たんじょう》した――。

1年生　ウエルカムレース　結果

1位　3時間11分08秒　今泉　俊輔《しゅんすけ》

2位　3時間11分10秒　鳴子《なるこ》　章吉《しょうきち》

3位　4時間02分38秒　杉元　照文《てるふみ》

リタイア　小野田坂道

（続く）

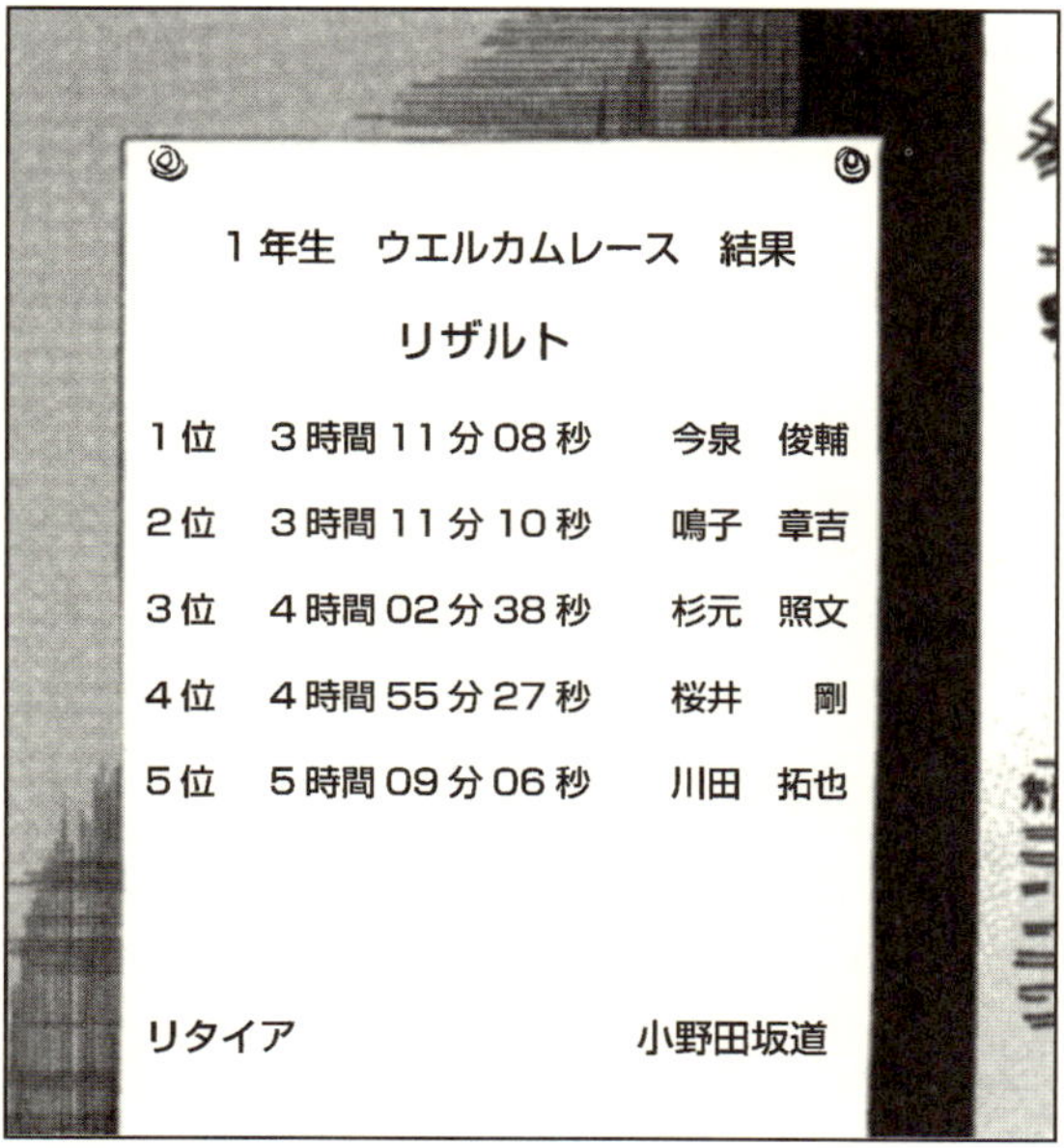

C O L U M N

# これでキミも自転車通《つう》!

## 002 自転車を安全&快適に乗るために

ロードレーサーでもママチャリでも、一般《いっぱん》の道路を走るのは同じ。「キミの自転車ライフ」をより安全&快適にするための3つのパーツを解説《かいせつ》するよ。工夫や手入れをするのは自転車の大きな楽しみだ。

BICYCLE LIFE

## ヘルメット

安全のためにヘルメットを着用すべし。あごひももしっかりとしめよう。サイクリング中は体温が上がり発熱するため、通気性《つうきせい》のよいものがグッド！

## サドル

サドルをあげると速くなる理由は、脚力《きゃくりょく》を効率《こうりつ》よくペダルに伝えることができるため。ペダルを真下までふんだときに、ひざが軽くのびるくらいがよい。

## ボトル

ドリンクホルダーを取り付けて、サイクルボトルを差しておく。ボトルには600-700ml 入る。こまめに水分補給《ほきゅう》するとつかれが少ない。

## 自転車に乗るときは、交通ルールを守ろう！

- ▶① 道路の逆走《ぎゃくそう》は危険《きけん》（左側を走ろう！）
- ▶② 信号無視《むし》は絶対《ぜったい》にダメ
- ▶③ 携帯《けいたい》電話を使いながらの走行は絶対に禁止《きんし》
- ▶④ 自転車保険《ほけん》に入っておくと安心

[原作者]
**渡辺 航**（わたなべ　わたる）
漫画家。長崎県出身。MTBやロードバイクなど自転車をこよなく愛し、『弱虫ペダル』の連載を続けながら、多くのアマチュア自転車レースに参戦している。

[ノベライズ]
**輔老 心**（すけたけ　しん）
フリーランスライター。兵庫県出身。『スーパーパティシエ物語』『いやし犬まるこ』（いずれも岩崎書店）など著書多数。

AD　山田 武　　協力　渡邊まゆみ
編集協力　秋田書店

フォア文庫

**小説《しょうせつ》 弱虫《よわむし》ペダル2**

2019年10月31日　第1刷発行

原作者　渡辺 航
ノベライズ　輔老 心
発行者　岩崎弘明
編集　田辺三恵　元吉崇夫
発行所　株式会社 岩崎書店
〒112-0005 東京都文京区水道1-9-2
電話　03-3812-9131（営業）　03-3813-5526（編集）
00170-5-96822（振替）
印刷・製本所　三美印刷株式会社

ISBN978-4-265-06572-1　NDC913　173×113

Published by IWASAKI Publishing Co.,Ltd.
Printed in Japan

岩崎書店ホームページ　http://www.iwasakishoten.co.jp
ご意見をお寄せください　info@iwasakishoten.co.jp
乱丁本・落丁本はお取り替えします。